この問題集の特色——

漢字対策の決定版
合格を勝ち取る最短ルート

中学入試で覚える漢字の量は膨《ぼう》大だ。覚えても覚えても切りがない。先も見えない。終わりもない——。

だが、この問題集を手に取ったキミは大丈夫だ。キミはすでに合格への一歩をふみ出している。

なぜなら、中学入試で求められる漢字力を「短期間で、効率的に、そして確実に身につける」方法に目を向けたからだ。

受験生はただでさえ時間がない。

だから漢字は〝入試に出やすい順〟に、〝効率よく〟学習するのが正解なんだ。

①入試に出る1580問を厳選

この問題集は、全国の有名中学の入試問題を徹底的に分析し、過去1827試験、19553問の中から「本当に出る」頻《ひん》出漢字1580問を厳選している。

これにより、最も効率的かつ効果的に漢字対策ができるように構成した。いわば合格への最短ルートだ。

受験生は、迷うことなく、この1580問に集中すればいい。この1冊をマスターすれば、漢字対策は万全だ。

②出題頻度の高い語句問題もカバー

この問題集で扱《あつか》うのは、漢字の書き取り問題だけではない。

国語の入試問題に特によく出る語句問題についても、しっかりカバーしている。

「慣用句・ことわざ」「四字熟語」「同音・同訓異字」「漢字の読み」「対義語・類義語」。

これら入試によく出る問題についても、すべて「出る順」に並べ、「意味」や「用例」、さらに「ひと言アドバイス」を加えることで、学習効率を上げ、受験に必要な多面的な漢字力・語彙《い》力を自然と養えるよう工夫している。

③「[さかもと式]見るだけ暗記法」で最速で合格レベルへ

この問題集の最大の特徴《ちょう》であり、秘策となるのが、「[さかもと式]見るだけ暗記法」だ。

この革新的な方法を用いることで、わずか3分で10問の漢字を覚えられるようになる。

その[illegible]の9割。

従来[illegible]考えられないスピードで[illegible]ことで、漢字の学習時間[illegible]ことができる。

また[illegible]版では「[さかもと式][illegible]」の動画も用意した。[illegible]簡単に、暗記法の手順を[illegible]ことができる。

全国から「驚きの声」
合格者から「喜びの声」が続々

本書は2016年に初版が発行されて以来、何度も増刷され、多くの中学受験生とその保護者から高い支持を得てきた。漢字対策の定番問題集として位置づけられている本書は、今回が3訂版となる。

ここで受験生や保護者の声の一部を紹介したいと思う（カッコ内は、10個の漢字を覚えるのに要した時間）。

●合格できました。先生の「出る順問題集」についても「同じ漢字がたくさん出た！」と話していました（小6女子の母・2分20秒）

●最後の漢字の仕上げとして「出る順問題集」は本当に実力になり、「あれがなかったら自信がつかなかったと思う」と言っています（小6男子の母・2分50秒）

●「見るだけで覚えられる」とのフレーズにひかれて購入。難しい熟語がたくさん入っていたのに短時間で覚えることができました（小6女子の母・2分40秒）

●漢字が苦手で、くり返し書くのも大嫌いなわが子が「さかもと式」を実践すると、すぐに漢字を覚えることができました（小5男子の母・3分）

●「間違えたら10回書く」などの勉強法と違い、時間がかかりません（小4男子の母・2分45秒）

本番1カ月前からでも得点アップできる！

さあ、心の準備はいいだろうか。

あとは「［さかもと式］見るだけ暗記法」を実際に体験し、志望校合格を目指して「出る順」で問題を解いていくだけだ。

なお、本書は、受験直前でも漢字（国語）の得点アップを狙《ねら》えるように設計されている。2週間で一気に終えることも可能だが、1カ月から3カ月かけて、じっくり取り組むことが好ましい。

▽1カ月完了コース

毎日4ページずつ進めることで、1カ月で全問を終えることができる。復習時間は別途《と》設けて、間違えた問題も確実に身につけていこう（最頻出のA・Bランクだけなら3週間で終了可能）。

▽3カ月完了コース

平日毎日2ページ進め、週末に復習することで、3カ月間でしっかりと知識を定着させることができる。記憶《おく》があいまいになったころに復習をするのがポイントだ。

さあ、この問題集とともに志望校合格を目指して、実践を始めよう。

この問題集が、キミの夢の実現（＝志望校合格）に少しでも貢献《こうけん》できたら、これほど嬉《うれ》しいことはない。

家庭学習コンサルタント　坂本七郎

出る順「中学受験」漢字1580が7時間で覚えられる問題集【3訂版】

もくじ

「[さかもと式]見るだけ暗記法」の仕組みを深く理解しよう

●漢字は「書かなくても」覚えられる!

「書いて覚える」のではなく「見て覚える」——。

これが「[さかもと式]見るだけ暗記法」最大の特徴です。

やることは**【1分間テストと30秒暗記】**のくり返し。

まず、この問題集の1回分（漢字10題）を1分間でテストします。テストが終わったら「マル付け」をおこない、間違えた漢字を集中的に30秒**【見て】**覚えます。

次に再び1分間テストを実施し、全部正解できなければ、もう一度30秒間の集中暗記をおこないます。

テスト、暗記、そしてまたテスト……この【1分間テストと30秒暗記】をくり返し、全問正解するまで続けます。

やることは、たったこれだけ。

非常にシンプルな方法ですが、この反復が短時間での暗記を驚くほど効果的にしてくれるのです。

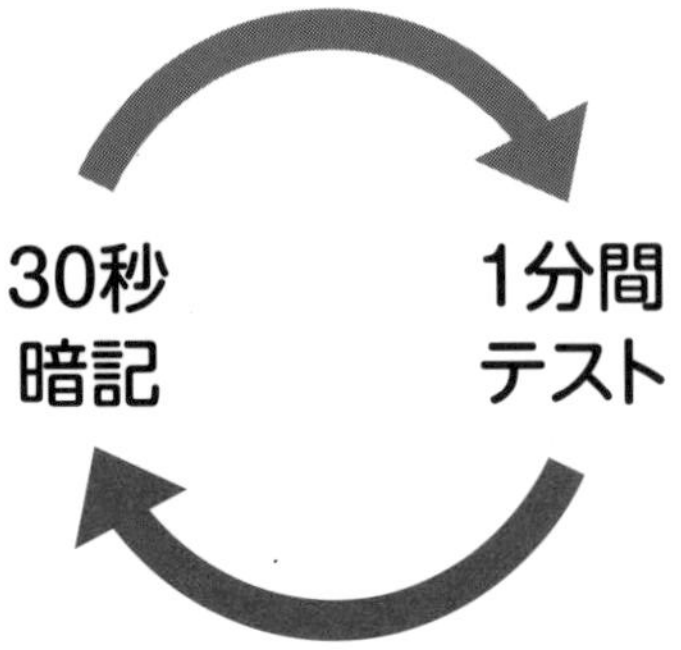

●見るだけで覚えられる仕組み

では、「見るだけで覚えられる」仕組みについて、さらに詳しく説明しましょう。

「見るだけで覚えられる」には、2つの重要なポイントがあります。

まず1つめは、**「暗記を30秒というごく短い時間でおこなう」**という点です。

多くの人は、暗記には時間をかけるほど効果があると考えがちですが、実は逆です。何かを覚える際には、**【集中力】**を最大限に引き出すため、短時間で集中的に暗記することが効果的です。

また、その際、何度も書いて覚える必要はありません。

書く作業は手間がかかり、覚えることに集中しづらくなるからです。

そこで**【視覚】**をフルに活用し、漢字の字形や構造をしっかり「見る」。

これにより、漢字を覚えようとする意識が自然に

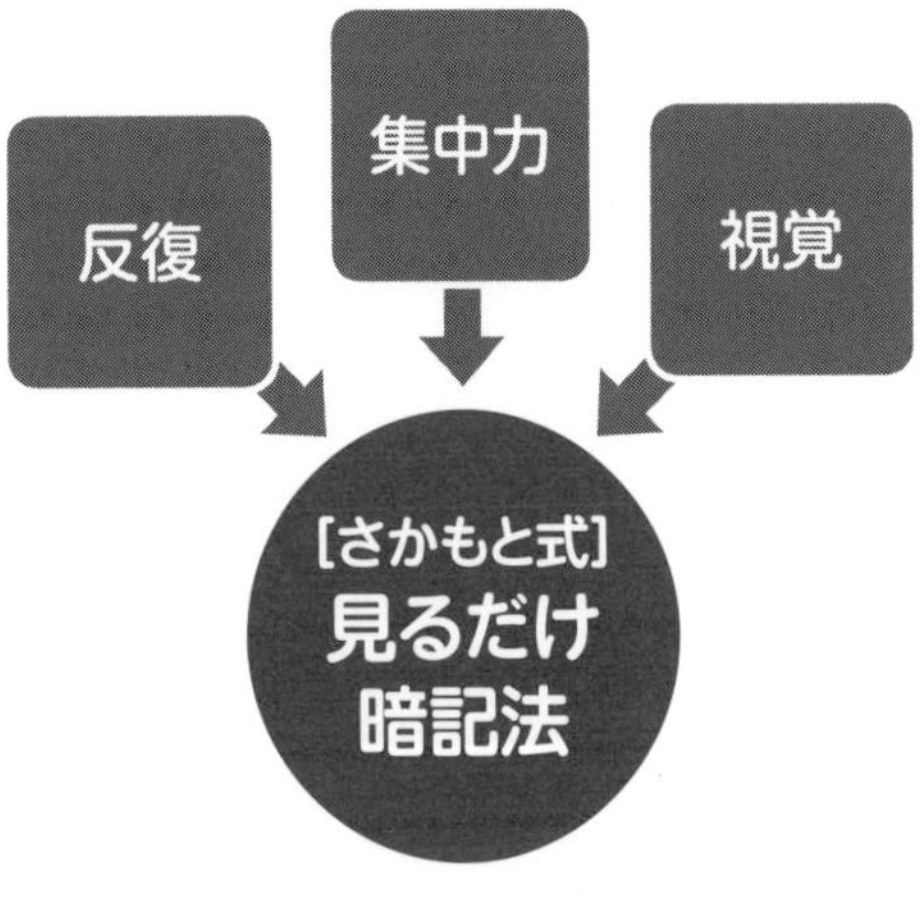

高まり、より深く記憶に刻まれるのです。

次に2つめのポイントは、**「暗記とテストをくり返す」**という点です。

人間の脳は、くり返し入ってきた情報を重要だと認識し、長期記憶に残します。つまり、記憶を定着させるためには、**【反復】**が欠かせません。「［さかもと式］見るだけ暗記法」では、短時間で何度も暗記とテストをおこないます。この反復こそが、短時間で効率よく漢字を覚えるための秘訣なのです。

● 9割の子どもが実感！ 驚くべき効果

「うまくできるかな？」と不安に思うかもしれませんが、実際に「［さかもと式］見るだけ暗記法」を実践した子どもの9割が、漢字学習の時間短縮に成功しています。

この問題集はおもに小学6年生が活用することを想定しています。そこで、この暗記法を前後の学年を含めた小5から中1までの78人に試してもらいました。その結果、10個の漢字を覚えるのにかかった平均タイムは、なんと**【2分26秒】**。ほとんどの子が3分以内にすべての漢字をマスターしてしまいました。

● 7日後でも8割以上が記憶を保持

「［さかもと式］見るだけ暗記法」は、短時間で多くの漢字を覚えられることが証明されています。

しかし、「早く覚えたら、すぐに忘れてしまうのでは？」と心配する人も多いでしょう。

実際に、「［さかもと式］見るだけ暗記法」で漢字を覚えた後、3日後と7日後に抜き打ちテストをおこなったところ、3日後の平均点は9・21点、7日後の平均点は8・77点でした。この結果からも、「［さかもと式］見るだけ暗記法」は忘れにくく、記憶に強く定着する方法であることがわかります。

テストと暗記を**【集中してくり返す】**――。その反復の回数が多いほど、記憶がより深く定着しやすくなるのです。

● 1580問が7時間で覚えられる

この問題集は、「1580問が7時間で覚えられる」とうたっていますが、その根拠をご説明しましょう。

仮に10個の漢字を3分で覚えられるとします。この問題集には全部で146回分（1580問）の問題が収録されています。各回を3分ずつで覚えると、146回×3分＝438分。つまり、約7時間で頻出1580問を覚えてしまう計算になるのです。

1回あたり「3分」で暗記可能
×
146回のテスト
7時間で1580問をマスター

「[さかもと式]見るだけ暗記法」の効果的な学習手順

「[さかもと式] 見るだけ暗記法」の仕組みを理解していただけたでしょうか?

次に、毎日の学習をより効果的に進めるための手順を解説します。「1分間テスト」と「30秒暗記」をどのようにくり返せばよいのか、その具体的な方法を、この問題集の「書き取り」問題を例に挙げながら、詳しく見ていきましょう。

学習手順をさらに詳しく確認したい場合は、9ページのQRコードをスキャンして動画にアクセスしてください。動画で具体的な手順やポイントを確認することもできます。

準備するものは、**えんぴつ、消しゴム、赤ペン、ノート(またはA4などの紙)、そしてキッチンタイマー**です。これらをそろえたら、いよいよ実践スタートです。

ステップ1 「1分間テスト」を開始する

まず、「書き取り」問題を開き、「1回目」の欄に今日の日付を書き入れます。次に「1分間テスト」をおこないます。ページ下部には「ひと言アドバイス」や「解答」が記載されていますので、それらが見えないように、ノートや紙で隠しながら問題に取り組んでください。答えは問題集に直接書き込んでも構いません。テスト時間は原則「1分間」ですが、初めての場合は1分30秒~2分程度とっても大丈夫です。

ステップ2 「マル付け」をおこなう

「1分間テスト」が終了したら、赤ペンを使って「マル付け」をおこないます。正解したものにはマルをつけ、間違えたものは下段の「暗記リスト」に正しい答えを**見やすくていねいに**書き写してください(図1参照)。このとき、「ひと言アドバイス」や「出題例」を読み、漢字の知識をさらに深めましょう。

図1

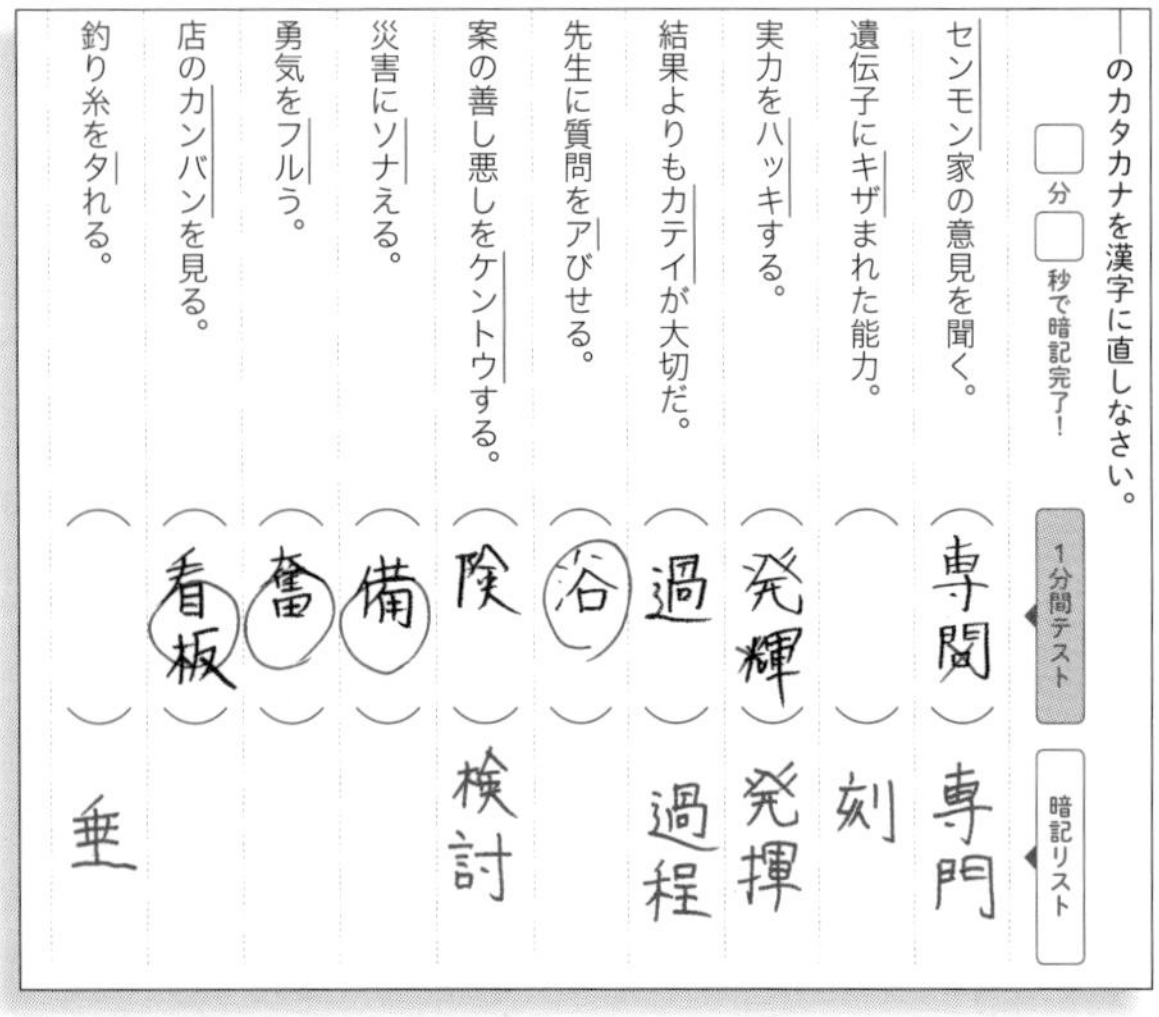

間違えた問題は正しい答えを見やすくていねいに書き写すのがポイントです。「30秒暗記」のときは「暗記リスト」の段を見て覚えます。

ステップ3　30秒〝見て〟暗記する

次に、漢字を〝見て〟覚えます。注目すべきは先ほど書いた「暗記リスト」の段です。ただし、見る時間は30秒だけです。キッチンタイマーを使って30秒間、集中して漢字を視覚的に記憶しましょう。

ステップ4　「1分間テスト」をおこなう（2回目）

30秒の暗記が終わったら、すぐに2回目のテストをおこないます。この2回目以降は、ノートや紙に答えを書いていきます。最初に書いた答えが見えないようにノートや紙で隠し、テストを進めてください（図2参照）。目標は1分間で全問正解することです。もし1分では書ききれない場合は、1分10秒～1分20秒程度でテストをおこなっても問題ありません。

図2

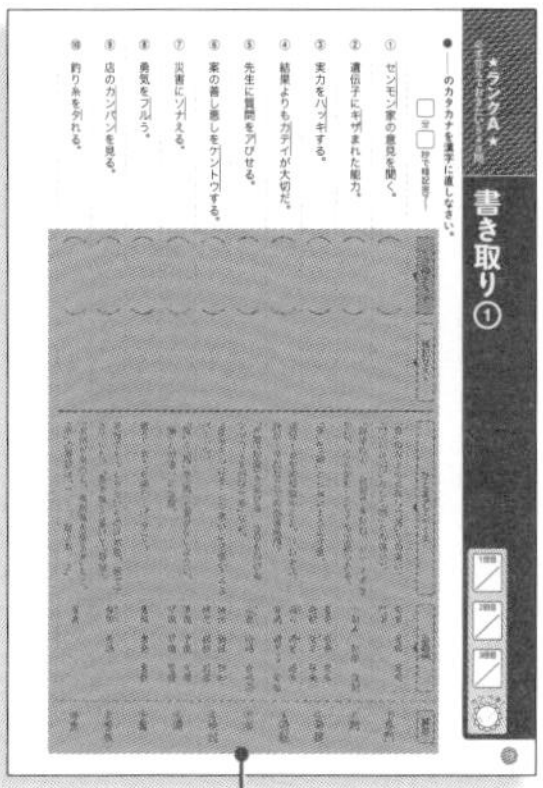

2回目以降の「1分間テスト」では、この部分が見えないようにノートや紙でおおって、テストをおこないます。

ステップ5　「マル付け」をおこなう

解答を確認しながら、ノートに「マル付け」をおこないます。この段階で全問正解できたなら、わずか30秒見ただけで漢字を覚えたことになります。暗記時間はたったの30秒です。一方で、1問でも間違えた場合は再テストが必要です。もう一度、「30秒暗記」をおこなってください。

ステップ6　30秒〝見て〟暗記する

先ほど間違えた漢字を30秒間再度〝見て〟覚えましょう。「30秒も必要ない」と感じる場合は、20秒に設定しても構いません。集中力を維持することが大切です。また、途中で書いて練習したい漢字があれば、遠慮なく書いても大丈夫です。

ステップ7　「1分間テスト」をおこなう（3回目）

再びテストをおこないますが、先ほど書き込んだ答えが見えないように工夫してください。ノートの場合は別ページを使用してください。紙の場合は紙を折り返すなどして、答えが視界に入らないようにしましょう。

ステップ8　「マル付け」をおこなう

この段階で全問正解できたなら、1分間で漢字を覚えたことになります。もし1問でも間違えたら、再び「30秒暗記」と「1分間テスト」をおこないます。全問正解するまで、このサイクルをくり返してください。

最後に**「□分□秒で暗記完了！」**の欄に暗記時間を記入すれば、その回の学習は終了です。

さらに効率アップ! 問題集の使い方

「[さかもと式] 見るだけ暗記法」のやり方についての動画解説は次ページ左下のQRコードからアクセスしてください。

書き取り

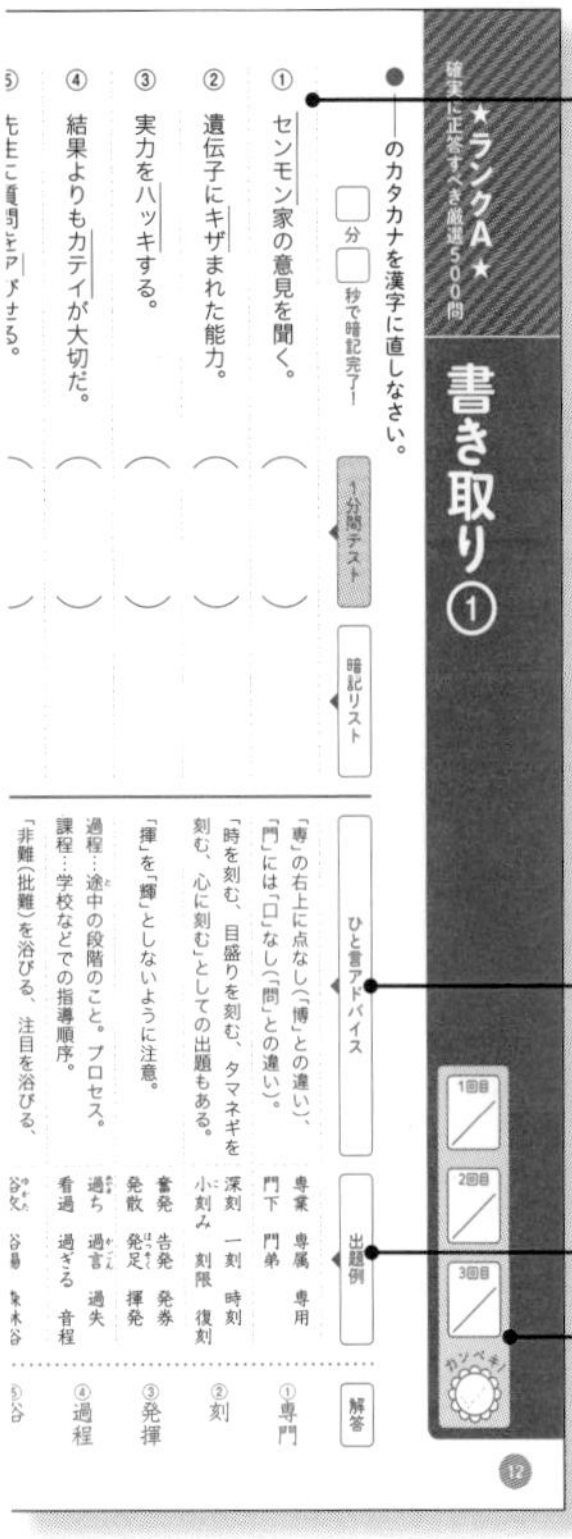

問題文は実際に出題されたもの

問題文はできるだけ実際の入試問題を元に作成。試験に強い実戦力が身につきます。

点数アップにつながる「ひと言アドバイス」

語句の意味や、間違えやすい筆順・字形、部首名など、過去の入試で出題された重要なポイントを中心に解説。ミスを１つひとつ確実につぶしていくことで、着実に得点力を向上させましょう。

過去の出題例をチェック

「出題例」は、解答となる漢字を使った他の出題例を列記しています。２周目からはここも確認しながら進めていきましょう。

100%覚えられるまでくり返し学習しよう

くり返し練習できるように、３回分の日付記入欄を設け、完全に覚えた際に✓印を付けられる「カンペキ！」欄も追加しました。

四字熟語

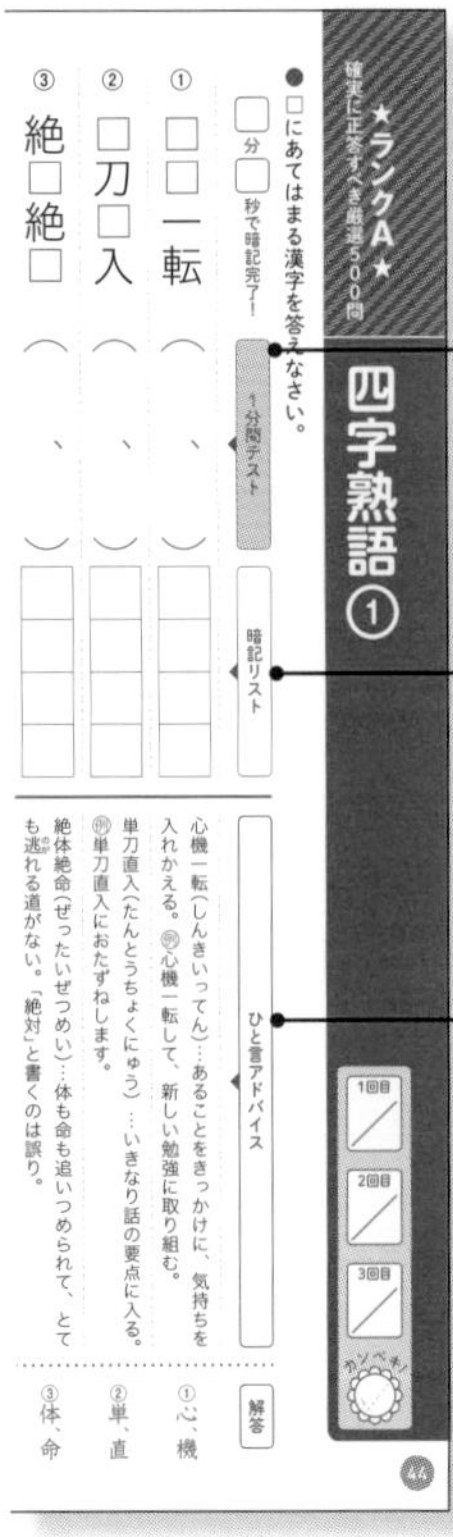

学習手順は「書き取り」と同じ

6～7ページを参考に「書き取り」と同じ手順で学習しましょう。

四字すべて、書き出そう

四字熟語の「暗記リスト」は四字セットで覚えてもらうために４つのますを用意しています。間違えた問題は、ここにしっかり書き出して覚えましょう。

読み方、意味、用例をチェック

四字熟語には読み方が難しいものが多くあります。そこで四字熟語の「ひと言アドバイス」では読み方を全角で示し、四字熟語の意味、類義語や用例をつけました。単に知っているだけでなく、使いこなせる四字熟語を目指しています。

慣用句・ことわざ

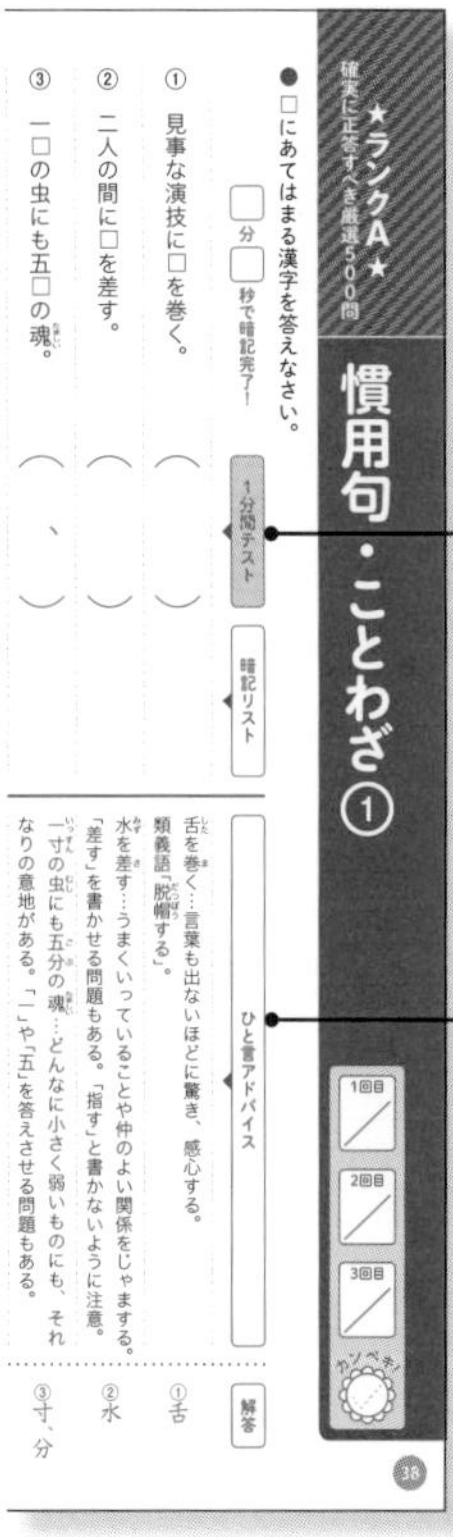

学習手順は「書き取り」と同じ

6～7ページを参考に「書き取り」と同じ手順で学習しましょう。

意味や出題例がわかる

「慣用句・ことわざ」は意味とセットで覚えることが非常に重要になります。問題に正答するだけで安心せずに、必ず意味を確認するようにしてください。実際の入試問題でも、意味を知らないと答えられない問題がかなりあります。

読み

20問1セットで覚えていく

「読み」については20問を１セットとして「[さかもと式]見るだけ暗記法」で進めていきます。「1分間テスト→マル付け(正しい答えはすぐ横に赤で書く)→30秒暗記→1分間テスト(答えはノートに書く)→マル付け→30秒暗記…」とくり返し、20個全問正解するまで続けましょう。

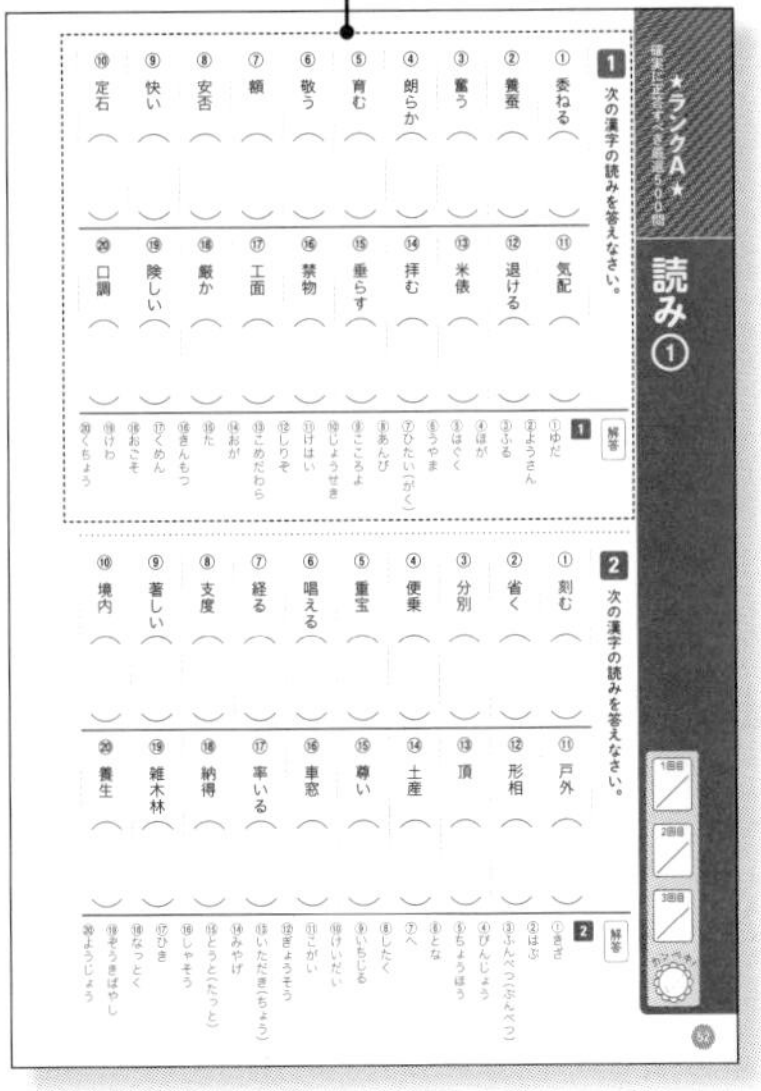

同音・同訓異字

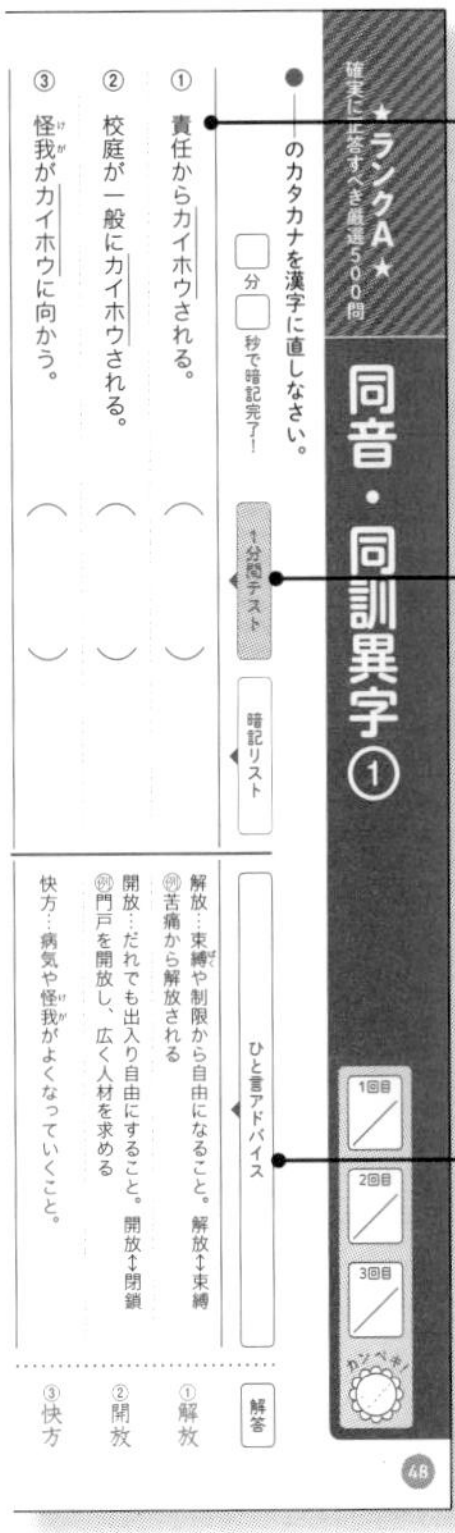

これだけ覚えれば大丈夫

問題文は入試で最も問われやすい例文を採用し、出題頻《ひん》度の高いものから順に並べています。むだなく必要な知識だけを学ぶことができます。

学習手順は「書き取り」と同じ

6～7ページを参考に「書き取り」と同じ手順で学習しましょう。

意味の違いと用例をチェック

「同音・同訓異字」では、意味の違いと用例が最重要。しっかり読んで試験時に書き分けができるようにしましょう。

完成度チェック問題

(55・56、103・104、156・157ページ)

各ランクの最後には「完成度チェック問題」を用意しました。間違えやすく難しい問題を集めています。合格点は70点。70点未満の場合は、再度そのランクを復習してから次のランクに進むことをお勧めします。こちらも満点が取れるまで練習しましょう。

「[さかもと式]見るだけ暗記法」動画リンク

https://youtu.be/34H09suU6h0

「[さかもと式]見るだけ暗記法」のやり方を5分間の動画で確認できます。ぜひ親子でいっしょに視聴してやり方を確認してください。

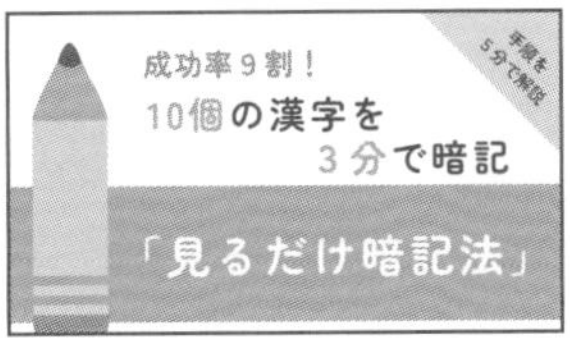

◀ こちらのQRコードからも動画にアクセスできます。

対義語・類義語

10問ずつ覚えていく

対義語・類義語は、1ページ20問の問題がありますが、10問ずつ「[さかもと式] 見るだけ暗記法」で覚えていきましょう。覚え方は「書き取り」のときと同じ。1分間テストと30秒暗記のくり返しとなります。

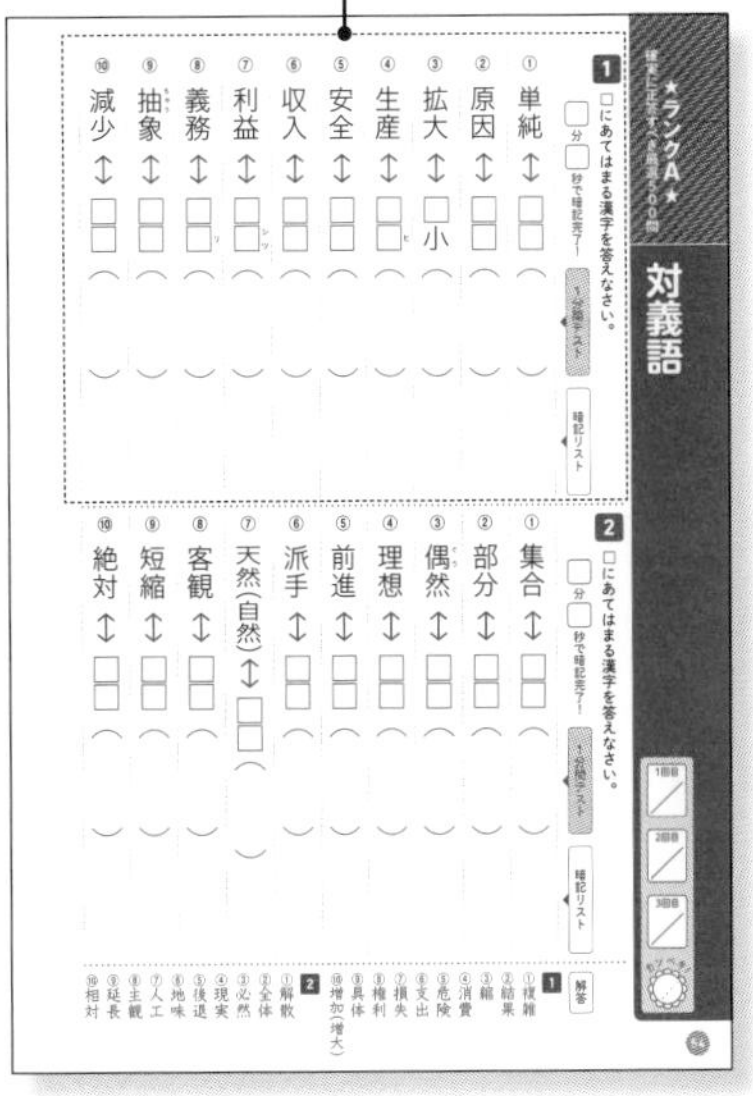

この問題集の6つの特長

1 最新の出題傾向に対応した「出る順」1580問

過去11年の有名私立・国立中学の入試問題（1827試験、漢字・語彙関連問題19553問）をすべてデータベース化。これを単に出る順に並べ替えるのでなく、近年の出題傾向に基づきデータに重みづけを行い、「最新の出題傾向に対応した出る順問題集」としました。受験生が優先して取り組みたい重要頻出1580問を効率よく学習できます。

2 これ1冊で国語入試の知識問題をカバー

「漢字の書き取り」だけでなく、なかなか家庭では網羅しにくい「慣用句・ことわざ」「四字熟語」「同音・同訓異字」「読み」「対義語・類義語」の問題についても、すべて出る順で収録。最新の出題傾向に基づいた知識問題についても、これ1冊で効率よく学習できます。

3 「[さかもと式]見るだけ暗記法」で覚える時間を1／4に

本書では、最短時間で頻出1580問をマスターするために、9割の小学生に効果があった「[さかもと式]見るだけ暗記法」を推奨しています。この方法により、通常10～15分かかっていた漢字を、わずか3分で覚えられるようになります。時間が足りないと感じている受験生の悩みを解消します。

4 辞書いらずで多角的な学びが得られる構成

本書は単に漢字を覚えるだけの問題集ではありません。1つの問題を通じて多くの学習ポイントが身につく構成となっています。「ひと言アドバイス」で言葉の意味をすぐに確認できるだけでなく、間違えやすいポイントや他の問題にも応用できる豆知識など、多角的な学びを得られる工夫が盛り込まれています。

5 本番直前でも間に合う！ 効率学習プラン

1日4ページのペースで進めると、1カ月ですべての問題を解き終えることができます。さらに、A・Bランクの最頻出問題に絞れば、3週間で仕上げられるので、本番直前でも確実に得点アップを目指せます。自信をつけるラストスパートにも最適です。

6 問題と解説の正確性を徹底チェック

本書に収録された問題は、実際の入試問題から選び抜かれた良問です。また、解答や解説は、中学受験生を18年間サポートしてきた著者に加え、言葉を扱うプロである書籍編集者3名による徹底的なチェックを行っています。3訂版となる本書を安心してお使いください。

この問題集で使われている記号の意味　例▼用例　↕▼対義語

★ランクA★

決して間違えられない！
確実に正答すべき厳選500問

近年の中学入試において、最も重要視されるトップ500題。

それがこのランクAの問題群だ。

1問たりとも取りこぼすことは許されない。必ずすべての問題をマスターしよう！

漢字を正確に覚えるためには「正しい採点」が不可欠。自分の答えを見直す際には、線の本数や点の有無、はねやとめなど、細部にまで注意を払いながら採点をしよう。

また、受験生が特に間違いやすいポイントについては「ひと言アドバイス」に記載した。

この部分も参照しながら、1つひとつ確実に身につけていこう！

出る順
「中学受験」漢字1580が
7時間で覚えられる問題集
[3訂版]

書き取り①

● ――のカタカナを漢字に直しなさい。

□分□秒で暗記完了！

1分間テスト

① センモン家の意見を聞く。（　）
② 遺伝子にキザまれた能力。（　）
③ 実力をハッキする。（　）
④ 結果よりもカテイが大切だ。（　）
⑤ 先生に質問をアびせる。（　）
⑥ 案の善し悪しをケントウする。（　）
⑦ 災害にソナえる。（　）
⑧ 勇気をフルう。（　）
⑨ 店のカンバンを見る。（　）
⑩ 釣り糸をタれる。（　）

暗記リスト

	ひと言アドバイス	出題例	解答
①	「専」の右上に点なし（「博」との違い）、「門」には「口」なし（「問」との違い）。	専業　専属　専用　門下　門弟	専門
②	「時を刻む、目盛りを刻む、タマネギを刻む、心に刻む」としての出題もある。	深刻　一刻　時刻　小《こ》刻み　刻限　復刻	刻
③	「揮」を「輝」としないように注意。	奮発　告発　発券　発散　発足《ほっそく》　揮発	発揮
④	過程…途《と》中の段階のこと。プロセス。課程…学校などでの指導順序。	過《あやま》ち　過言《かごん》　過失　看過　過ぎる　音程	過程
⑤	「非難（批難）を浴びる、注目を浴びる、ツッコミを浴びせる」など。	浴衣《ゆかた》　浴場　森林浴	浴
⑥	「見当をつける」との違いに注意（152ページ）。	検出　検証　検知　検定　探検　討議	検討
⑦	「備」の「用」を「冊」と書かないように。「編」との違いに注意。	準備　予備　完備　守備　常備　整備	備
⑧	奮う…気力を盛り上げること。	奮起　奮発　奮戦	奮
⑨	看板の最も古いものは木製、板でできていた。「看《み》る板」と書いて「看板」。	看病　看破《かんぱ》　看過	看板
⑩	「液体が垂れる、横断幕を垂らす」など。「垂」の筆順は「一、二、縦2本、土」。	垂直	垂

1回目 ／　2回目 ／　3回目 ／　カンペキ！

書き取り②

● ――のカタカナを漢字に直しなさい。

□分□秒で暗記完了!

1分間テスト / 暗記リスト / ひと言アドバイス / 出題例 / 解答

	1分間テスト	ひと言アドバイス	出題例	解答
①	全集をアむ。（　　）	「セーターを編む」としての出題が多い。	手編み　編集　編成　短編	編
②	言葉をオギナう。（　　）	「衤(ころもへん)」であることに注意。	補給　補欠　補習	補
③	友人のコウセキをたたえる。（　　）	功績…成しとげたてがら。「積」にしないように注意。	けがの功名《こうみょう》　奏功　実績	功績
④	人生の師としてウヤマう。（　　）	送りがな注意→敬う。	尊敬　敬遠　敬愛　敬服　敬老	敬
⑤	音楽や歌がタンジョウする。（　　）	「誕」のつくり「延」の「廴(えんにょう)」は3画で書く。	生誕　生意気　生易《なまやさ》しい　芽生《めば》える	誕生
⑥	線路にソって歩く。（　　）	「文脈に沿って」「川に沿って」としての出題もある。	沿道　沿革　道沿い　沿線	沿
⑦	目のコえた観客。（　　）	「舌が肥える、肥やし、肥えた土地」など。	肥料　肥大	肥
⑧	オサナい頃の思い出。（　　）	送りがな注意→幼い。	幼少　幼児　幼虫	幼
⑨	経文《きょうもん》をトナえる。（　　）	「唱」の右側は「日」が2つで下が大きい。「異議を唱える、新説を唱える」など。	暗唱　唱歌　唱和	唱
⑩	ユウビンキョクに行く。（　　）	「郵」の左側は「垂」と同じだが8画目は斜《なな》め上にはらう。	便《たよ》り　簡便　方便　局面　局地　政局	郵便局

1回目 / 2回目 / 3回目　カンペキ!

書き取り③

● ——のカタカナを漢字に直しなさい。

□分□秒で暗記完了!

1分間テスト

① 飛行機をソウジュウする。（　　）
② 商品をセンデンする。（　　）
③ 鏡にウツった自分の姿。（　　）
④ 反対意見をシリゾける。（　　）
⑤ インクで布をソめる。（　　）
⑥ 司会をツトめる。（　　）
⑦ 銀行にお金をアズける。（　　）
⑧ ヨウイには解けない問題。（　　）
⑨ 山から昇る太陽をオガむ。（　　）
⑩ その差はチヂまらない。（　　）

暗記リスト

	ひと言アドバイス	出題例	解答
①	操縦の「操」は、手を使ってするものだから「扌(てへん)」と覚えよう。	操業　節操《せっそう》　体操　縦横　縦断	操縦
②	「宣」は「宀(うかんむり)」に「亘」。「旦」にしないように注意。	宣言　宣告　伝染　伝達　伝道	宣伝
③	「写」との違いに注意(96ページ)。	映像　映《は》える　映画	映
④	職を辞めるかとどまるかという意味の「進退」も覚えておこう。	辞退　減退　退治　退屈　退職	退
⑤	「西の空が夕日に染まる」としての出題もある。	染色　伝染	染
⑥	何かの役割を受けもつ場合に使う。「勤める、努める」との違いに注意(97ページ)。	勤務　事務所　任務　税務署	務
⑦	「預かる」としての出題もある。左側の「予」を「矛」にしない。	預金	預
⑧	「易」は「腸」や「傷」の「昜」とは異なるので注意。容易↕困難	形容　容積　許容　安易　簡易　交易《こうえき》	容易
⑨	横線が4本であることと最後の縦線がはねないことに注意。	参拝　拝見　拝借　拝観　拝読	拝
⑩	「縮」を使った対義語「短縮↕延長」「縮小↕拡大」。	圧縮　収縮　縮尺　短縮　縮図	縮

1回目　2回目　3回目

カンペキ!

書き取り④

● ——のカタカナを漢字に直しなさい。

□分□秒で暗記完了！

1分間テスト / 暗記リスト / ひと言アドバイス / 出題例 / 解答

1分間テスト	ひと言アドバイス	出題例	解答
① ゴミをヒロう。	「拾」は音読みで「シュウ」と読むことも覚えておこう。	拾得物　収拾がつかない	① 拾
② 気象エイセイからの映像。	「衛星」を「衛生」としないように注意。「衛」の「ヰ」は上を出すこと。	衛生　護衛　防衛	② 衛星
③ タガヤしたばかりの畑。	送りがな注意↓耕す。	耕作　農耕　耕地	③ 耕
④ 将来はカンゴシになる。	「看」の3画目までの向きや長さをチェック。	看過　護岸《ごがん》　弁護　恩師　師弟　師事	④ 看護師
⑤ フクザツなデータを保存する。	「複」は「ネ（しめすへん）」ではなく「衤（ころもへん）」。	重複《ちょうふく》　複写　複製　雑然　雑談	⑤ 複雑
⑥ ギターをエンソウする。	「演」↑上が出ない。「奏」↑下が長い。	演劇　演出　演じる　演説　吹《すい》奏楽　奏功	⑥ 演奏
⑦ 旅館をイトナむ。	「営む」とは「経営」や「営業」と似た意味だと覚えよう。	経営　設営　民営　運営　営利	⑦ 営
⑧ 自宅と駅とをオウフクする。	「彳（ぎょうにんべん）」は「行動」や「移動」に関連する意味を持つ。往復↕片道	往年　復帰　修復　復元　復刻　報復	⑧ 往復
⑨ 大陸をジュウダンする。	「縦」は「操縦」としても出てくる頻《ひん》出漢字。縦断↕横断	縦列駐《ちゅう》車　油断　断腸　裁断	⑨ 縦断
⑩ 給食費をオサめる。	「修める、収める、治める」との違いをチェック（48ページ）。	出納《すいとう》　収納　納税　納品	⑩ 納

1回目 / 2回目 / 3回目　カンペキ！

書き取り⑤

1回目 2回目 3回目 カンペキ!

● ――のカタカナを漢字に直しなさい。

□分□秒で暗記完了!

1分間テスト

① 開会のセンゲンをする。（　　）
② 工場のキボを拡大する。（　　）
③ 期日をノばしてもらう。（　　）
④ テンケイ的な例を挙げる。（　　）
⑤ センレンされたフォーム。（　　）
⑥ 体をセイケツに保つ。（　　）
⑦ ショウタイジョウを送る。（　　）
⑧ 公平にサバく。（　　）
⑨ 横浜はボウエキコウだ。（　　）
⑩ 代表者に決定をユダねる。（　　）

暗記リスト

	ひと言アドバイス	出題例	解答
①	「宣」の出る順は、「宣伝、宣言、宣告」。この3つは必ず覚えよう。	宣告　過言《かごん》　公言　断言　提言　明言	宣言
②	「規」の右側は「貝」ではなく「見」。しっかりはねる。	規定　新規　模写　模造	規模
③	延ばす…距離や時間を長くすること、先へ引きのばすこと。	延べ人数　延長　順延　延期	延
④	典型的…その特徴をよく表していること。	祭典　辞典　特典　模型	典型
⑤	洗練…上品であかぬけていること。	洗う　洗顔　練る　未練　練習　老練	洗練
⑥	清潔↔不潔	清算　清める　潔い　高潔	清潔
⑦	「状」は縦線から書き始める。	待機　状態　賞状　症《しょう》状　白状	招待状
⑧	「裁」は「布を裁《た》つ」とも読む。	裁判　裁断　裁つ　体裁《ていさい》　裁決	裁
⑨	「貿」は「ノ、レ、点」の3画から書き始める。	容易　難易　平易　漁港	貿易港
⑩	委ねる…任せること。	委任　委員　委細	委

書き取り⑥

ランクA
書き取り
慣用句・ことわざ
四字熟語
同音・同訓異字
読み
対義語
チェック問題

1回目 ／
2回目 ／
3回目 ／
カンペキ!

● ——のカタカナを漢字に直しなさい。

□分□秒で暗記完了!

1分間テスト	暗記リスト	ひと言アドバイス	出題例	解答
① イガイに元気だった。	（　　）	意外…自分の予想と違う。思いがけない。以外…それを除いたほかのもの。	創意 不意 有意義 敬意 善意 生意気	① 意外
② 世界イサンへの登録。	（　　）	「遺」を「遣」としないように注意。	遺伝 遺品 財産	② 遺産
③ パーティーにマネかれる。	（　　）	手招きされるイメージから「扌(てへん)」と覚える。	招致《ち》 招待 招集	③ 招
④ ルールにシタガう。	（　　）	送りがな注意↓従う。	従来 主従 服従	④ 従
⑤ 人前では泣くまいとツトめた。	（　　）	「勤める、務める」との使い分けをできるようにしよう(97ページ)。	努力	⑤ 努
⑥ キビしい叱責《しっせき》を受けた。	（　　）	「厳《おごそ》か」という読み方もある。	厳密 威厳《いげん》 厳格 厳正 厳然 尊厳	⑥ 厳
⑦ ケワしい目でにらまれた。	（　　）	「険しい山道」のようにも使う。	危険 冒険	⑦ 険
⑧ シセイを正す。	（　　）	「勢」の「丸」を「九」としないように。	容姿 体勢 態勢 大勢	⑧ 姿勢
⑨ 安全なリョウイキ。	（　　）	「領」の部首は「頁(おおがい)」。	要領 首領 領分 地域 区域 流域	⑨ 領域
⑩ アッカンの演技を見せつける。	（　　）	圧巻…本やもよおしものなどで、最もすぐれた部分。	圧倒 圧縮 巻頭 巻末	⑩ 圧巻

書き取り⑦

●——のカタカナを漢字に直しなさい。

□分□秒で暗記完了!

1分間テスト	暗記リスト	ひと言アドバイス	出題例	解答
① ココロヨく引き受ける。	（　　）	「快」を使った四字熟語「単純明快」。	快い　痛快　快適　快活　快方　軽快	①快
② 試験に対する心ガマえ。	（　　）	「カメラを構える、つら構《がま》え、身構《みがま》える、構わず行く」など。	構図　構造　構築　構内	②構
③ 病院にツトめる。	（　　）	「勤」の7画目は縦棒であることに注意。	勤務　通勤	③勤
④ 事故の原因をスイソクする。	（　　）	「推測」の類義語「推量、推理、推察、推定」。	推進　類推　推理　推察　観測　測量	④推測
⑤ 魚がえさにムラがる。	（　　）	「群《ぐん》を抜く…多くの中で飛び抜けてすぐれている」の出題もある。	大群　群衆　群生	⑤群
⑥ 代表者がショメイする。	（　　）	「著名《ちょめい》」と書き間違えないように。	税務署　消防署　名士　名著　命名	⑥署名
⑦ シンコクな事態。	（　　）	「深」←曲げて書く。	深夜　深い　小《こ》刻み　刻限　復刻	⑦深刻
⑧ ヒタイにはちまき。	（　　）	「額」は「ガク」とも読む。「絵を額《がく》に入れる」。	額面　減額　差額	⑧額
⑨ 信頼をキズく。	（　　）	「城を築く、伝統を築く、財産を築く」など。	新築　移築　改築　建築　構築	⑨築
⑩ キントウにケーキを切る。	（　　）	「機会均等（権利や待遇を平等に与えること）」としての出題もある。	均整　均質　等級　等身大	⑩均等

1回目 ／　2回目 ／　3回目 ／　カンペキ!

書き取り⑧

● ――のカタカナを漢字に直しなさい。

□分□秒で暗記完了！

1回目 ／　2回目 ／　3回目 ／　カンペキ！

1分間テスト	暗記リスト ひと言アドバイス	出題例	解答
① 親コウコウに努める。（　）	親孝行⇔親不孝　「孝」を「考」と間違えないように。	孝養《こうよう》　夜行　流行　修行　代行	① 孝行
② コキョウの友人と再会する。（　）	類義語である「郷里」の出題もある。	故障　故意　郷里　郷土	② 故郷
③ お月見に団子をソナえる。（　）	「備える」との違いに注意（153ページ）。	供給　提供　供述　供養《くよう》	③ 供
④ プロ野球選手のセイセキ。（　）	「績」を「積」としないように注意。	成熟　成算　生成　養成　実績	④ 成績
⑤ 合唱コンクールのシキ者。（　）	指揮者は手を使うから両方とも「扌（てへん）」と覚える。	指示　指針　指標　指令　目指す　揮発	⑤ 指揮
⑥ 事件をメンミツに調べる。（　）	綿密…細かい点までくわしいこと。	綿毛《わたげ》　木綿《もめん》　厳密　秘密	⑥ 綿密
⑦ 日差しが目をイる。（　）	「的《まと》を射《い》る…うまく要点をつかむ」も覚えておこう。	注射　反射　放射　射幸心	⑦ 射
⑧ 世相をハンエイしたドラマだ。（　）	「反」は「横線、ノ、又」と書く。「皮」の筆順との違いに注意。	反射　反る　反骨　映る　映画　映える	⑧ 反映
⑨ キソクを守る。（　）	類義語に「規約、規律、ルール」がある。	規模　規制　変則　原則　鉄則　不規則	⑨ 規則
⑩ プレゼント用のホウソウ紙。（　）	包装…紙などで上から品物を包むこと。	包む　包囲　包丁　衣装《いしょう》　仮装　軽装	⑩ 包装

書き取り⑨

●——のカタカナを漢字に直しなさい。

□分□秒で暗記完了！

1分間テスト

① 消化キカンを調べる。（　　）
② 父や母をソンケイする。（　　）
③ 計画をネる。（　　）
④ 小説に引き込まれコウフンする。（　　）
⑤ 糸をタバねる。（　　）
⑥ 海にノゾむ町。（　　）
⑦ 頭がイタい。（　　）
⑧ コクモツを育てる。（　　）
⑨ この問題はカンタンだ。（　　）
⑩ 機械のソウサ方法。（　　）

暗記リスト

	ひと言アドバイス	出題例	解答
①	「官」を「管」としないように注意。	器《うつわ》 利器 臓器 官製 外交官 官庁	器官
②	「尊」の「酉」の部分を間違えないように。	自尊心 尊厳 尊大 敬愛 敬意 敬服	尊敬
③	「構想を練る」「作戦を練る」の出題もある。	熟練 洗練 練習 老練	練
④	興奮↔冷静	復興 興味 奮起 奮う	興奮
⑤	「チームを束ねる」「花束《はなたば》」のようにも使う。	収束 結束 約束	束
⑥	臨む…面している。「望む」との違いを辞書で調べておこう。	君臨 臨時 降臨 臨席	臨
⑦	「痛い目にあう…ひどい体験をすること」も覚えておこう。	悲痛 痛感 苦痛	痛
⑧	「穀」は何度か書いて覚えよう。	雑穀 穀倉 果物《くだもの》 干物《ひもの》 風物詩 物議《ぶつぎ》	穀物
⑨	「単」の3画目までの向きに注意。	簡易 簡便 簡略 単身 単に	簡単
⑩	「操」は「操《あやつ》る」とも読む。	操業 節操 体操 作業 作法 豊作	操作

1回目 2回目 3回目 カンペキ！

書き取り⑩

●——のカタカナを漢字に直しなさい。

□分□秒で暗記完了!

1分間テスト　暗記リスト

① 災害からのフッコウを目指す。（　　）
② 今日も日がクれていく。（　　）
③ 車のオウライが激しい。（　　）
④ キチョウ品を保管する。（　　）
⑤ テンラン会を見に行く。（　　）
⑥ 事後ホウコクとなった。（　　）
⑦ ヒミツを打ち明ける。（　　）
⑧ カンダンの差が激しい。（　　）
⑨ 中学生がタイショウの本。（　　）
⑩ ケイトウ立てて考える。（　　）

	ひと言アドバイス	出題例	解答
①	元に戻す「復元」や「回復」と同じ「復」を使う。	復元　復帰　修復　報復　興亡　再興	復興
②	「途方に暮れる」「今年の暮れ」としての出題もある。	暮らす　朝三暮四	暮
③	「往」とは「行く」の意味。つまり往来とは「行《い》き来《き》」と同じ意味。	往復　往年　従来　本来　未来　来訪	往来
④	「重」は、「ジュウ、チョウ、おも(い)、え、かさ(ねる)」など読み方が多い。	貴族　高貴　重複《ちょうふく》　重荷　自重《じちょう》　幾重《いくえ》	貴重
⑤	「展」の部首は「尸(しかばね＝かばね)」。	展望　発展　一覧　回覧　遊覧船	展覧
⑥	事後報告…ことが終わったあとに伝えること。	情報　速報　報復　告げる　告知　告発	報告
⑦	難関校によく出ている漢字。	神秘　秘宝　綿密　密閉　精密	秘密
⑧	「暖」の字は間違えやすいので、ていねいに書いて練習しよう。	寒風《かんぷう》　寒波　厳寒　極寒《ごっかん》　暖冬	寒暖
⑨	「対照、対称」との違いに注意(50ページ)。	絶対　対策　対価　対談　象形文字	対象
⑩	ほかに「路線バスの系統、系統的にまとめる」などと使う。	系列　統合　大統領　統一　統計　統治	系統

1回目　2回目　3回目　カンペキ!

書き取り⑪

● ――のカタカナを漢字に直しなさい。

□分□秒で暗記完了!

1回目 2回目 3回目 カンペキ!

	1分間テスト	暗記リスト／ひと言アドバイス	出題例	解答
①	予想外のロウホウが飛び込む。	朗報…よい知らせ。	果報　会報　警報	朗報
②	様々なサクリャクをめぐらす。	策略…自分の利益のために相手をだますはかりごと。	画策　簡略　計略　省略	策略
③	喜びイサんで走っていく。	「勇み足…調子に乗ってやりすぎ、失敗すること」の出題もある。	勇気　勇退　武勇伝	勇
④	銀行にヨキンする。	類義語「貯金」の出題も多い。	預ける　金属　金融《ゆう》　筋金《すじがね》　賃金	預金
⑤	サトウのとり過ぎは良くない。	「糖」は「米（こめへん）」に「唐」。	砂鉄　土砂　糖分	砂糖
⑥	目に入った異物をノゾく。	「除」を「徐」と書き間違えないように。	除幕　除外　除草　除夜の鐘《かね》　掃除《そうじ》	除
⑦	ロボットがコショウした。	機械だけでなく、人体についても「からだが故障する」のように使う。	故意　故郷　故人　障《さわ》る　障害　保障	故障
⑧	森の中をサンサクした。	散策…特別な目的もなく、ぶらぶら歩くこと。類義語「散歩」。	解散　散る　散布　散乱　善後策　得策	散策
⑨	宅配便で荷物がトドいた。	慣用句「手が届く」も覚えておこう。	見届ける	届
⑩	車のモケイを作る。	「模形」は誤り。	規模　模写　典型　類型	模型

書き取り⑫

1回目　2回目　3回目　カンペキ!

1分間テスト

●——のカタカナを漢字に直しなさい。

□分□秒で暗記完了!

① 良いシュウカンを身につける。（　　）
② 計画が実現性をオびてくる。（　　）
③ テツボウにぶら下がる。（　　）
④ リンジのバスが出る。（　　）
⑤ 人間関係をコウチクする。（　　）
⑥ ヨウリョウを得ない話し方。（　　）
⑦ ケンポウ記念日。（　　）
⑧ 天地ソウゾウの神話。（　　）
⑨ 校庭をジュウオウに走る。（　　）
⑩ 受験勉強にセンネンする。（　　）

暗記リスト

	ひと言アドバイス	出題例	解答
①	「慣」↑ここの形に気をつけよう。	講習　復習　練習　慣例	習慣
②	「帯」は「横線、縦3本、横」の順に書き始める。	帯に短したすきに長し	帯
③	「棒」↑下を長く書く。	棒グラフ　相棒　棒読み	鉄棒
④	「臨」の「臣」は縦線から書き始める。	君臨　臨む　臨席　潮時《しおどき》　時空　時折《ときおり》	臨時
⑤	構築…組み立ててつくること。	構える　構想　構成　築く　改築	構築
⑥	要領を得ない…主要な点がはっきりしない。要領がいい…手際がいい。	要因　需要　要望　大統領　領海　領収	要領
⑦	「憲」の出題は、憲法と憲章だけ。しっかり覚えよう。	憲章　寸法　法外　違法　解法　作法	憲法
⑧	「創《つく》る」は新しいものをつくること。「造《つく》る」は大規模なものをつくること。	創刊　独創　創作　模造　構造　造営	創造
⑨	「縦横無尽《むじん》…自由自在に思う存分おこなうこと」としても出題される。	横着　横暴　横断幕　横転	縦横
⑩	「専」の右上には点がない。「博」には点がある。	専属　観念　念願　信念　念頭　余念	専念

書き取り⑬

● ――のカタカナを漢字に直しなさい。

□分□秒で暗記完了!

1分間テスト ／ 暗記リスト

	1分間テスト	ひと言アドバイス	出題例	解答
①	彼《かれ》の意見をシジする。（　）	「指示」との違いに注意(49ページ)。	収支　支給　支柱　持久力　持論　保持	支持
②	各国のシュノウ。（　）	首脳…政府など、組織や団体の中心となる人のこと。	一首《いっしゅ》　首筋《くびすじ》　首席　首領　脳死　脳波	首脳
③	保育園に本をテイキョウする。（　）	「お供いたします」「子供《こども》」のように「供」は「とも」とも読む。	前提　提起　手提《さ》げ　提言　供える	提供
④	家族をヤシナう。（　）	「英気を養う…気力や元気を次第につくり上げる」としても使う。	静養　供養《くよう》　孝養《こうよう》　養蚕《ようさん》　養成	養
⑤	一ケタのたし算はヤサしい。（　）	「易」の「日」の下に横線なし。「湯、陽」との違いを確認。	安易　簡易　交易《こうえき》　生易《なまやさ》しい	易
⑥	国際的な条約にカメイする。（　）	「加」の部首は「力(ちから)」、「盟」の部首は「皿(さら)」。	加減　加護　加工　加湿　同盟　盟約	加盟
⑦	ハソンした車をなおす。（　）	「破」の部首は「石(いしへん)」。「皮」は「丿」から書き始めることに注意。	打破　損なう　損害　欠損	破損
⑧	キヌイトから着物を作る。（　）	絹糸…蚕のまゆから取った糸のこと。シルクとも言う。	絹織物　一糸《いっし》乱れず	絹糸
⑨	ハイクをつくる。（　）	俳句の場合は一句・二句、和歌の場合は一首・二首と数える。	俳優　句集　絶句　文句	俳句
⑩	雑誌をヘンシュウする。（　）	「編」の「冊」を「用」と書かない。	編む　採集　収集　結集　集約	編集

1回目 ／ 2回目 ／ 3回目

カンペキ!

書き取り⑭

●——のカタカナを漢字に直しなさい。

□分□秒で暗記完了!

1分間テスト

① ほっとムネをなでおろした。（　　）
② 受付を一階にモウける。（　　）
③ ジシャクで砂鉄を集める。（　　）
④ 発言をゴカイされる。（　　）
⑤ 新しい学校にもうナれた。（　　）
⑥ ハイユウの演技力。（　　）
⑦ まったくキョウミがない。（　　）
⑧ 鏡に光をハンシャさせる。（　　）
⑨ 祖父は知識がホウフだ。（　　）
⑩ 冷たい空気をスう。（　　）

暗記リスト

	ひと言アドバイス	出題例	解答
①	部首は「⺼（にくづき＝にく）」。	胸中　度胸　胸囲	胸
②	送りがな注意→設ける。	仮設　設計　建設　設置	設
③	磁石は両方「石」が入る。	定石《じょうせき》　石灰《せっかい》	磁石
④	「解」の「牛」の部分は上が出る。「午」としないように。	誤差　誤認　解決策　解禁　解熱《げねつ》	誤解
⑤	「忄（りっしんべん）」は、精神・心を表す字につく。「快、情、悩、悔、慌」など。	習慣　慣習　慣例	慣
⑥	「優」の右上は「亘」ではなく「亘」。	俳句　優勝　優秀　優先　優待　優良	俳優
⑦	「興味津々《しんしん》」の「興味」を書かせる問題もある。	興亡　再興　復興　味気《あじけ》ない　加味《かみ》	興味
⑧	「射」の左側は「身」をそのまま細くさせたもの。	反旗　反応　反骨　放射	反射
⑨	豊富⇔貧弱	豊作　富む　貧富	豊富
⑩	部首は「口（くちへん）」。	呼吸　吸収　吸引	吸

1回目／　2回目／　3回目／　カンペキ!

ランクA　書き取り　慣用句・ことわざ　四字熟語　同音・同訓異字　読み　対義語　チェック問題

書き取り⑮

● ――のカタカナを漢字に直しなさい。

□分□秒で暗記完了！

	1分間テスト	ひと言アドバイス	出題例	解答
①	挙手により決をトる。	「検査により血を採る、山できのこを採る」の出題もある。	採集　採取　採決　採血　採算	採
②	リッパな大木。	「派」←形に注意。	立候補　樹立　創立　派生　派出所	立派
③	にわとりをシイクする。	「飼料（家畜に与えるえさ）」の出題もある。	育む	飼育
④	ワインをチョゾウする。	「蔵」は「艹（くさかんむり）」のあと、「丿」から書いていく。	貯める　蔵書　内蔵	貯蔵
⑤	ゲキヤクをもちいる。	「劇」←画数は15画。よく確認しよう。	演劇　悲劇　薬局　特効薬　服薬	劇薬
⑥	ウチュウ飛行士になる。	「宇」は6画目をはねる。	宙《ちゅう》を舞《ま》う	宇宙
⑦	気がスまない。	「～しなくて済む」「早く済んだ」などの出題もある。	救済　経済　返済	済
⑧	夏休みにキセイする。	類義語「帰郷《ききょう》」。	復帰　回帰　帰還　帰属　省略　省力	帰省
⑨	タンジュンに物事を考える。	「純」は上を突き出す。	単身　単に　純真	単純
⑩	物事をヒハン的に見る。	「批」の右側のはね方に注意。	批評　判断　評判　判別　判明	批判

暗記リスト

1回目　2回目　3回目　カンペキ！

書き取り⑯

●――のカタカナを漢字に直しなさい。

□分□秒で暗記完了!

1分間テスト　暗記リスト

① フンキを期待したい。（　　）
② 大軍をヒキいる将軍。（　　）
③ レイゾウコを運び入れる。（　　）
④ キショウ価値が高い。（　　）
⑤ めきめきとトウカクを現す。（　　）
⑥ 高い山々がツラなる。（　　）
⑦ チームのカイカクに取り組む。（　　）
⑧ 事態のシュウシュウをはかる。（　　）
⑨ ゲキテキな人生を送る。（　　）
⑩ 山のイタダキに立つ。（　　）

ひと言アドバイス	出題例
「奮」は分解すると、「大＋隹＋田」。ていねいに書こう。	奮発　奮戦　奮起　起工　起用　再起　提起
「率」は「玄、左上、左下、右上、右下、十」の順に書く。	確率　軽率《けいそつ》　税率　率直　能率　比率
「蔵」と「臓」の違いに注意。「臓」はからだに関する言葉。	冷静　冷笑　秘蔵　倉庫
本来は「稀少」と書くが、「稀」の代わりに「希」が使われている。	希望　希求　幼少　減少
頭角を現す…人よりすぐれた才能が目立つようになること。	頭脳　音頭《おんど》　一角
「名前を連ねる」のようにも使う。	常連　連呼　連想　連続　連中　連発
出題数が増加。「革」は9画で書く。「皮《ひ》革《かく》」も読めるようにしておく。	改善　改める　改修　革命　沿革　革新
収拾…混乱した状態をおさめ、まとめること。同音・同訓異字「収集」（152ページ）。	収集　収納　収縮　拾う　拾得
劇的…劇を観《み》ているような緊張や感動、変化。ドラマチック。	喜劇　的確　的《まと》はずれ
頂…てっぺん。「〜を頂く」とセットで覚えよう。	頂点　登頂　有頂天　真骨頂　頂く

1回目　2回目　3回目　カンペキ!

解答

① 奮起
② 率
③ 冷蔵庫
④ 希少（稀少）
⑤ 頭角
⑥ 連
⑦ 改革
⑧ 収拾
⑨ 劇的
⑩ 頂

書き取り⑰

●——のカタカナを漢字に直しなさい。

□分□秒で暗記完了！

1分間テスト

① 自説をテイショウする。（　　）
② 惜《お》しくも決勝戦でヤブれた。（　　）
③ カイシンの出来。（　　）
④ むだな説明をハブく。（　　）
⑤ 水玉モヨウの傘《かさ》を差す。（　　）
⑥ タテじまの洋服を着る。（　　）
⑦ 寝ずにカンビョウする。（　　）
⑧ シゲンごみを分別する。（　　）
⑨ 社会のフウチョウが変化する。（　　）
⑩ ウラ通りを歩く。（　　）

暗記リスト

ひと言アドバイス / **出題例**

① 提唱…自分の意見を示して人々に呼びかけること。
出題例：提供　提言　手提《さ》げ　唱える　合唱　唱和

② 敗れる…相手に負けること。相手を負かす意味の「破る」に注意。(例)宿敵を破る。
出題例：失敗　敗戦　成敗　敗北

③ 会心…思い通りにいき満足すること。改心…心を入れかえること。
出題例：再会　会得《えとく》　会談　会報　照会

④ 「手間を省く」「時間を省く」などの出題もある。
出題例：省略　省力

⑤ 「様」の右側は、「丷、三、長い縦線（はねる）、最後の４画」の順に書く。
出題例：模造　様相　同様

⑥ 「糸」は６画で書くことも確認しよう。
出題例：操縦　縦断

⑦ 看病…病人の世話をすること。類義語「介抱《かいほう》」。
出題例：看破《かんぱ》　看過　持病　病状　病《やまい》

⑧ 資源…産業の原料や材料になる物質のこと。
出題例：投資　軍資金　資材　資質

⑨ 風潮…世間一般の傾向。
出題例：寒風《かんぷう》　紙風船　干潮　満潮　最高潮

⑩ 「裏」↑細かい部分も確認しよう。
出題例：脳裏　裏表《うらおもて》　裏地《うらじ》　裏切る　裏手

解答

① 提唱　② 敗　③ 会心　④ 省　⑤ 模様　⑥ 縦　⑦ 看病　⑧ 資源　⑨ 風潮　⑩ 裏

1回目　2回目　3回目

カンペキ！

書き取り⑱

● ——のカタカナを漢字に直しなさい。

□分□秒で暗記完了！

1分間テスト

① キショウチョウの天気予報。（　　）
② 裁判で身のケッパクを証明する。（　　）
③ 厳しいクチョウで弟を叱《しか》った。（　　）
④ 意見をソンチョウする。（　　）
⑤ 学問をココロザす。（　　）
⑥ 雨で試合はジュンエンとなった。（　　）
⑦ ツウカイな冒険小説。（　　）
⑧ 先生の家をホウモンする。（　　）
⑨ シャソウからの景色。（　　）
⑩ ヨウサン業が盛んな地域。（　　）

暗記リスト

ひと言アドバイス	出題例
「象」を「像」と書かないように。	英気　気位《きぐらい》　気性《きしょう》　気絶　警視庁　官庁
潔白…心やおこないが正しく、やましいところのないこと。	簡潔　高潔　告白　白状　白熱　余白
口調…言葉の調子。	閉口　口外　新調　順調
尊重↕無視	尊敬　自尊心　尊厳　重複《ちょうふく》　重荷
一字で「志《こころざし》」。送りがなをつける場合は「志す」。	有志　意志　遺志
順延…順番に期日を延ばすこと。「雨天順延」という言い方もある。	従順　順番　延期　延べ　延長
「痛」の「用」を「冊」と書かないように。	痛感する　苦痛　快感　快速　全快
敬意を表して訪問することを「表敬訪問」と言う。「訪門」は誤り。	疑問　自問
車窓…列車やバスの窓。	降車　同窓会　窓際
養蚕…まゆから絹糸をとるために、蚕を育てること。	栄養　孝養　静養　蚕

解答

①気象庁　②潔白　③口調　④尊重　⑤志　⑥順延　⑦痛快　⑧訪問　⑨車窓　⑩養蚕

1回目／　2回目／　3回目／　カンペキ！

書き取り⑲

● ――のカタカナを漢字に直しなさい。

□分□秒で暗記完了！

1分間テスト ／ 暗記リスト

① コウカ的な方法。（　　）
② 小惑星タンサ機「はやぶさ」。（　　）
③ 北海道は食材のホウコだ。（　　）
④ スープがサめる。（　　）
⑤ テンボウダイから景色を見る。（　　）
⑥ コマった問題が起きた。（　　）
⑦ かぜ薬がよくキく。（　　）
⑧ 絶好のキカイをのがす。（　　）
⑨ 勉強のイギを見出す。（　　）
⑩ シュウトクブツを届ける。（　　）

ひと言アドバイス

① ほかに「効果音」の出題もある。
② 探査…探《さぐ》って調べること。
③ 「宝」は「伝家の宝刀を抜く」の出題もある。
④ 部首は「冫(にすい)」。「氵(さんずい＝みず)」に対して2画で書くことから。
⑤ 「展望」は「将来の展望を聞く」の出題もある。
⑥ 「困」の部首は「囗(くにがまえ)」。
⑦ 「宣伝が効く」のようにも使う。
⑧ 「機」の最後の点を忘れない。
⑨ 「有意義」としての出題もある。「異議」との意味の違い(98ページ)。
⑩ 拾得物(拾った物)↕遺失物(なくした物)

出題例

① 効率　効能　因果　果たす
② 探る　調査　検査　査察
③ 重宝　秘宝　冷蔵庫　倉庫
④ 冷笑　冷たい
⑤ 発展　展開　展示　有望　希望　望外
⑥ 貧困　困難
⑦ 効用　有効　実効
⑧ 機能　動機　機嫌《きげん》　機知　会心　会得《えとく》
⑨ 意向　得意　意図　義務　講義　定義
⑩ 拾う　納得　習得　心得《こころえ》　穀物　貨物

解答

① 効果
② 探査
③ 宝庫
④ 冷
⑤ 展望台
⑥ 困
⑦ 効
⑧ 機会
⑨ 意義
⑩ 拾得物

1回目　2回目　3回目　カンペキ！

書き取り⑳

ランクA
書き取り
慣用句・ことわざ
四字熟語
同音・同訓異字
読み
対義語
チェック問題

1回目 2回目 3回目 カンペキ!

● ――のカタカナを漢字に直しなさい。

□分□秒で暗記完了!

1分間テスト

① 新しい知識をキュウシュウする。（　　）
② ミッペイ容器に保存する。（　　）
③ 日本コユウの植物。（　　）
④ 本屋でザッシを購《こう》入する。（　　）
⑤ いいカゲンなことを言う。（　　）
⑥ 細胞のコウゾウを学ぶ。（　　）
⑦ 木のミキと枝。（　　）
⑧ 水害のタイサクを考えよう。（　　）
⑨ 費用を全額フタンする。（　　）
⑩ カンケツな説明を心がける。（　　）

暗記リスト

ひと言アドバイス

① 「収」は縦線から書き始める。総画数4画。
② 「密」の部首は「宀（うかんむり）」。「ウ」のかたちの冠《かんむり》。
③ 類義語に「独特、特有、独自」がある。
④ 「雑」の部首は「隹（ふるとり）」。
⑤ 「力の加減」や「お加減いかがですか」としての出題もある。
⑥ 「講」にしない。「講」は話をするという意味の漢字。
⑦ 「幹」↑つき出さない。
⑧ 「策」↑はねる
⑨ 「担《にな》う」「担《かつ》ぐ」も読めるようにしておこう。
⑩ 簡潔…言葉にむだがなく要領よくまとまっていること。

出題例

① 呼吸　吸引　回収　収束　収納
② 綿密　精密　厳密　閉口　開閉　閉幕
③ 固める　固辞　断固　強固　有効　有機
④ 雑穀　雑然　週刊誌　日誌
⑤ 加味　加工　加筆　減る　減税　減退
⑥ 構築　構成　結構　模造紙　無造作
⑦ 根幹　基幹　幹事　新幹線
⑧ 対象　対照　対処　散策　策略　善後策
⑨ 負う　自負　負傷　担う　担ぐ　分担
⑩ 簡素　簡易　簡便　簡略　潔い　清潔

解答

①吸収　②密閉　③固有　④雑誌　⑤加減　⑥構造　⑦幹　⑧対策　⑨負担　⑩簡潔

書き取り㉑

● ――のカタカナを漢字に直しなさい。

□分□秒で暗記完了!

1回目 2回目 3回目 カンペキ!

1分間テスト	暗記リスト	ひと言アドバイス	出題例	解答
① キンセイのとれた体つきだ。( )		均整…体などの各部分のつり合い。	均等 均質 整備 / 整理 調整	① 均整
② 希望の会社にシュウショクした。( )		「就」の総画数は12画。	就任 去就 就く / 職責 辞職 職務	② 就職
③ ショウガイ物を取りのぞく。( )		「障害」と「傷害(事件)」の同音異義語に注意。	支障 保障 障子《じ》 / 災害 損害 被害	③ 障害
④ この作品はヒョウバンがよい。( )		「判」を使った「たいこ判を押す」の出題もある。	評価 定評 品評 / 判断 判明	④ 評判
⑤ 人気作家のコウエンを聞く。( )		「講」はごんべん。言葉に関する熟語に使われる。	講じる 講義 講堂 / 演技 演じる	⑤ 講演
⑥ サンパイに訪れた人々。( )		「拝」の最後ははねない。	降参 参考 墓参り / 参入 拝観 拝読	⑥ 参拝
⑦ 道路をカクチョウする。( )		拡張…規模などを広げて大きくすること。	拡大 拡散 拡声 / 張る 主張	⑦ 拡張
⑧ 操作の方法をアヤマる。( )		「謝る」との違い(49ページ)。送りがな注意→誤る。	誤報 誤植	⑧ 誤
⑨ タイショウ的な立場。( )		「対象、対称」との違いを確認しよう(50ページ)。	絶対 対応 対価 / 対談 照会 日照	⑨ 対照
⑩ チイキの特色が表れる。( )		「域」の「或」の「口」の下の横線を書き忘れないように。	境地 極地 宅地 / 墓地 区域 流域	⑩ 地域

書き取り㉒

● ——のカタカナを漢字に直しなさい。

□分□秒で暗記完了!

1分間テスト

暗記リスト

① チョキンバコを買う。（　　）
② ジュンシンな心を持つ子供。（　　）
③ あるテイドはそう思う。（　　）
④ 道路ヒョウシキ。（　　）
⑤ 指に包帯をマく。（　　）
⑥ 裏方の仕事にカンシンがわく。（　　）
⑦ 情勢がスイイする。（　　）
⑧ 新作の映画をヒヒョウする。（　　）
⑨ 大変な混雑でヘイコウした。（　　）
⑩ 書類をユウソウする。（　　）

	ひと言アドバイス	出題例	解答
①	お金に関する漢字には「貝」がつくものが多い（貸、貧、財、費など）。	金貨　金額　金融《ゆう》　軍資金　筋金《すじがね》　賃金	貯金箱
②	純真…心にけがれのないこと。「純心」と書かないように注意。	単純　真相　写真　真骨頂	純真
③	「度」は、「广（まだれ）」のあとに「横線、縦、縦、横、又」と書く。	過程　工程　日程　態度　尺度　速度	程度
④	「識」は最後の点を忘れずに。「織」は誤り。	標準　指標　標本　常識　識別　認識	標識
⑤	「舌を巻く…あまりにもすぐれていて、ひどく驚《おどろ》くこと」もよく出る。	巻頭　圧巻　巻末	巻
⑥	「感心」との違い（49ページ）。	関節　関与　玄関	関心
⑦	推移…時がたつにつれ、状態が変化していくこと。	推測　類推　推理　移築　移転　移動	推移
⑧	「批」の左側「扌（てへん）」ははねる。右側は4画で書く。	批判　評論　評判	批評
⑨	閉口…手に負えなくて困ること。悩まされること。	閉《と》じる　閉《し》める　閉館　閉幕	閉口
⑩	「郵」の「阝（おおざと）」は3画で書く。	郵便　輸送　回送	郵送

1回目 ／　2回目 ／　3回目 ／　カンペキ!

書き取り㉓

●——のカタカナを漢字に直しなさい。

□分□秒で暗記完了!

1分間テスト ／ 暗記リスト

1分間テスト	ひと言アドバイス	出題例	解答
① コウリツのいい勉強方法。（　）	「率」は「玄」の部分から書き始める。	有効　実効　率いる　確率　軽率《けいそつ》　税率	①効率
② 美しいメロディーをカナでる。（　）	最後の9画目はとめる。送りがな注意→奏でる。	演奏　独奏　吹《すい》奏楽　奏功	②奏
③ 選手を優勝へとミチビく。（　）	送りがな注意→導く。総画数15画。	導入　指導　主導権　先導	③導
④ 社会のハッテンを期待する。（　）	発展↔衰退　「癶（はつがしら）」は「フ、点、右の点、はらい、点」の順に書く。	発揮　蒸発　発足《ほっそく》　連発　展覧　展望	④発展
⑤ 運動会はエンキされた。（　）	「廷」はバツ。「期」を使った四字熟語「一期一会《いちごいちえ》」。	延ばす　延べ　画期的　期待	⑤延期
⑥ あの曲のカシに感動した。（　）	「歌」の「可」の部分は「横線、口、縦線」の順に書く。	唱歌　牧歌《ぼっか》　作詞	⑥歌詞
⑦ 劇をカンランする。（　）	「覧」の「臣」は縦線から書き始める。「見」は最後上にはねる。	観念　拝観　観客　ご覧　博覧会	⑦観覧
⑧ 非常にイサギヨい態度だった。（　）	送りがな注意→潔い。	簡潔　潔白　高潔	⑧潔
⑨ 呼吸をトトノえる。（　）	「整」を使った四字熟語では「理路整然」の出題がある。	整然　整理　調整	⑨整
⑩ 時代ハイケイを考える。（　）	「背」の部首は「月（にくづき＝にく）」。体に関する字に多い（肺、腸など）。	背《そむ》く　背表紙　景色　景観	⑩背景

1回目　2回目　3回目　カンペキ!

書き取り㉔

● ――のカタカナを漢字に直しなさい。

□分□秒で暗記完了！

1分間テスト

① 日本有数のコクソウ地帯。（　　）
② 重要な情報をキロクする。（　　）
③ 企業にサイヨウされた。（　　）
④ ノべ人数を教えてください。（　　）
⑤ コウソウビルが林立する。（　　）
⑥ 王様にツカえて十年たつ。（　　）
⑦ 万国ハクラン会を見に行く。（　　）
⑧ 世界記録をジュリツする。（　　）
⑨ カンソな生活を心がける。（　　）
⑩ 教科書をロウドクする。（　　）

暗記リスト

ひと言アドバイス	出題例
① 穀倉地帯…穀物（米、麦、豆など）がたくさんとれる地帯。	穀物　雑穀　穀類　倉庫
② 「録」には「書き記す、写しとる」という意味がある。	暗記　列記　登録　付録
③ 採用…人、意見、方法などを採りあげて用いること。	採集　採る　採取　採算　器用　服用
④ 延べ…重複を考えずに総計する数え方。例：三日間の観客は延べ三千人。	延ばす　延長　順延
⑤ 「層」は「尸（しかばね＝かばね）」に「曽」を書く。	標高　高気圧　高潔　至高　地層　断層
⑥ 「神に仕える」で出題されることも多い。	仕草　仕方　給仕《きゅうじ》
⑦ 四字熟語「博覧強記」「人気を博す」の出題もある。	博識　博愛　博士　回覧　遊覧船
⑧ 樹立…しっかりと打ち立てること。	植樹　夕立《ゆうだち》　立冬　立派
⑨ 簡素…かざりけがなく質素なこと。	簡易　簡便　簡略　酸素　素性《すじょう》　要素
⑩ 「朗」を「阝（おおざと）」の「郎」と間違えないように注意。	明朗　朗報　読破　拝読

1回目 ／　2回目 ／　3回目 ／　カンペキ！

解答

①穀倉　②記録　③採用　④延　⑤高層　⑥仕　⑦博覧　⑧樹立　⑨簡素　⑩朗読

ランクA
書き取り
慣用句・ことわざ
四字熟語
同音・同訓異字
読み
対義語
チェック問題

書き取り㉕

●――のカタカナを漢字に直しなさい。

□分□秒で暗記完了！

1分間テスト

① 学校のキリツを守って生活する。（　　）
② 別の問題がハセイする。（　　）
③ 研究でギョウセキをあげる。（　　）
④ 議会の解散はヒッシとなった。（　　）
⑤ 豊かな心をハグクむ。（　　）
⑥ ヨクジツの予定を立てる。（　　）
⑦ アタタかい日が続く。（　　）
⑧ サイシンの注意を払う。（　　）
⑨ 船でコウカイに出る。（　　）
⑩ ここがシアンのしどころだ。（　　）

暗記リスト

	ひと言アドバイス	出題例
①	「律」には「物事の基準となるおきて」という意味がある。	定規《じょうぎ》　規格　律する　一律
②	派生…もとになるものから分かれて、別のものが出てくること。	立派　宗派　生息　生誕
③	「業」は横線の本数に注意。	作業　卒業　事業　功績　成績　実績
④	必至…必ずそうなること。「必」の筆順は「中央の点、ノ、まげてはねる、左、右」。	必死　必然　至る　夏至　至高
⑤	育む…大切に守り、大きくする。送りがな注意→育む。	飼育
⑥	翌日↔前日	翌朝　日課　日程　終日　日常
⑦	「温かい」と区別（79ページ）。送りがな注意→暖かい。	温暖　暖冬　寒暖　暖をとる
⑧	細心…細かいところまで心を配ること。	細部　細分　不細工　心得《こころえ》　自尊心　心境
⑨	「航」の部首は「舟（ふねへん）」。「舟」は最後に横線を書く。	航路　欠航　航空便　難航　海底　領海
⑩	思案…よい方法を求めていろいろと考えること。	思考　思想　不思議　名案　案件　腹案

解答

①規律　②派生　③業績　④必至　⑤育　⑥翌日　⑦暖　⑧細心　⑨航海　⑩思案

1回目　2回目　3回目　カンペキ！

★ランクA★ 確実に正答すべき厳選500問

書き取り㉖

● ――のカタカナを漢字に直しなさい。

□分□秒で暗記完了!

1回目 ／　2回目 ／　3回目 ／　カンペキ!

1分間テスト	ひと言アドバイス	出題例	解答
① 主君にチュウセイをつくす。（　　）	「誠」は「うそやごまかしのない心」という意味。	忠実　誠実　誠に	①忠誠
② フイに肩をたたかれた。（　　）	不意…急で、思いがけないこと。	不覚　不当　意外　意義　意向	②不意
③ 部屋を人にカす。（　　）	「カりる」と「カす」の違いを覚えよう。「貸」としないように注意。	貸借《たいしゃく》　貸与《たいよ》　賃貸	③貸
④ 人質がカイホウされる。（　　）	「解」の部首は「角（つのへん）」。	誤解　解除　弁解　放課後　追放	④解放
⑤ 対人関係にシショウをきたす。（　　）	支障…さまたげになること。	支持　支える　障害　保障　故障	⑤支障
⑥ 室内で犬をカう。（　　）	ことわざ「飼い犬に手をかまれる」も覚えておこう。	飼育　飼料	⑥飼
⑦ プライドをスてる。（　　）	捨てる↔拾う	取捨選択　四捨五入	⑦捨
⑧ 消防の仕事にジュウジする。（　　）	従事…たずさわること。	従来　主従　幹事　事態　故事　師事	⑧従事
⑨ 成績のジョレツをつける。（　　）	序列…あるきまりによって並べられたもの。	順序　序曲　列挙　系列　並列　列島	⑨序列
⑩ トトウを組む。（　　）	徒党…ある目的のために集まること。「党」は真ん中の点から書き始める。	徒労　徒競走　政党	⑩徒党

慣用句・ことわざ①

1回目 2回目 3回目 カンペキ!

1分間テスト

●□にあてはまる漢字を答えなさい。

□分□秒で暗記完了!

① 見事な演技に□を巻く。（　）
② 二人の間に□を差す。（　）
③ 一□の虫にも五□の魂《たましい》。（　、　）
④ 彼《かれ》は私の竹□の友でもある。（　）
⑤ 彼女《かのじょ》に□□の矢が立つ。（　）
⑥ テストがあるなんて寝□に水だ。（　）
⑦ 難しい問題で□が立たない。（　）
⑧ 馬の耳に□□。（　）
⑨ □を張っておすすめします。（　）
⑩ □をくくって挑戦した。（　）

暗記リスト

ひと言アドバイス

舌《した》を巻《ま》く…言葉も出ないほどに驚き、感心する。類義語「脱帽《だつぼう》する」。

水《みず》を差《さ》す…うまくいっていることや仲のよい関係をじゃまする。「差す」を書かせる問題もある。「指す」と書かないように注意。

一寸《いっすん》の虫《むし》にも五分《ごぶ》の魂《たましい》…どんなに小さく弱いものにも、それなりの意地がある。「一」や「五」を答えさせる問題もある。

竹馬《ちくば》の友《とも》…幼いときからの親しい友人。

白羽《しらは》の矢《や》が立《た》つ…多くの人々の中から、特に指定されて選ばれる。

寝耳《ねみみ》に水《みず》…思いがけないことでびっくりする。

歯《は》が立《た》たない…物事が難しくてできない。相手が強くてかなわない。

馬《うま》の耳《みみ》に念仏《ねんぶつ》…いくら言っても効き目がない。類義語「馬耳東風」「犬に論語」。

胸《むね》を張《は》る…自信があって堂々とする。

腹《はら》をくくる…覚悟《ごご》を決める。

解答

① 舌　② 水　③ 寸、分　④ 馬　⑤ 白羽　⑥ 耳　⑦ 歯　⑧ 念仏　⑨ 胸　⑩ 腹

慣用句・ことわざ②

1回目 ／
2回目 ／
3回目 ／
カンペキ!

1分間テスト

● □にあてはまる漢字を答えなさい。

□分□秒で暗記完了!

① 石の上にも□年。（　）
② 値段が高く、□の足を踏《ふ》んだ。（　）
③ 身を□にして働く。（　）
④ 最後の試合で□□の美をかざる。（　）
⑤ □に余る態度。（　）
⑥ 過去のわだかまりは□に流そう。（　）
⑦ 映画の迫《はく》力に思わず□をのんだ。（　）
⑧ チームの□を引っ張ってしまう。（　）
⑨ 青菜に□のような落ちこみ方。（　）
⑩ □□の道も一歩から始まる。（　）

暗記リスト

ひと言アドバイス

石《いし》の上《うえ》にも三年《さんねん》…しんぼう強くやれば、よい結果が得られる。

二《に》の足《あし》を踏《ふ》む…ためらう。

身《み》を粉《こ》にする…ひたすら一生懸命働く。「粉《こ》」と読むことに注意。

有終《ゆうしゅう》の美《び》をかざる…最後までやり通して立派に終わらせる。「優秀」と書かないように。

目《め》に余《あま》る…ひどくて見過ごせない。「目をかける…親切に世話をする」の出題もある。

水《みず》に流《なが》す…過去のもめごとなどを、すべてなかったことにする。

息《いき》をのむ…非常に驚いてはっとする。

足《あし》を引《ひ》っ張《ぱ》る…うまく進むのをさまたげる。

青菜《あおな》に塩《しお》…（塩をかけた青菜がしおれるように）物事がうまくいかず、しょんぼりする。

千里《せんり》の道《みち》も一歩《いっぽ》から…大きな目標を実現するためには、まず身近で小さなことから始めなくてはできない。

解答

① 三
② 二
③ 粉
④ 有終
⑤ 目
⑥ 水
⑦ 息
⑧ 足
⑨ 塩
⑩ 千里

慣用句・ことわざ③

1回目 ／　2回目 ／　3回目 ／　カンペキ！

● □にあてはまる漢字を答えなさい。

□分□秒で暗記完了！

1分間テスト

① ほっと□をなでおろした。（　　）
② 姉が入賞して私も□が高いわ。（　　）
③ 猫《ねこ》の□ほどのせまい庭。（　　）
④ 立て板に□のごとく話し始めた。（　　）
⑤ 弟はしかられて□をとがらせた。（　　）
⑥ □をそろえてお金を返す。（　　）
⑦ その話は聞いていて耳が□い。（　　）
⑧ あと1つ買うと□が出てしまう。（　　）
⑨ 敵の□を明かしてやろう。（　　）
⑩ □を長くして待つ。（　　）

暗記リスト

ひと言アドバイス

胸《むね》をなでおろす…心配や不安なことが消えて安心する。
鼻《はな》が高《たか》い…自慢に思う。
猫《ねこ》の額《ひたい》…土地などがとてもせまい。「猫」を漢字で書かせる問題もある。
立《た》て板《いた》に水《みず》…すらすらとよどみなく話をする様子。
口《くち》をとがらせる…気に入らない気持ちを表す。
耳《みみ》をそろえる…お金を不足なく用意する。
耳《みみ》が痛《いた》い…人の言うことが自分の弱点・欠点にふれるので、聞くのがつらい。
足《あし》が出《で》る…お金が足りなくなる。赤字になる。
鼻《はな》を明《あ》かす…相手をだしぬいてあっと言わせる。
首《くび》を長《なが》くする…まだかまだかと待ち構える。

解答

① 胸
② 鼻
③ 額
④ 水
⑤ 口
⑥ 耳
⑦ 痛
⑧ 足
⑨ 鼻
⑩ 首

慣用句・ことわざ④

●□にあてはまる漢字を答えなさい。

□分□秒で暗記完了!

1分間テスト

① 言わぬが□。（　　）
② 夢を語ったら□で笑われた。（　　）
③ □塩にかけて育てた野菜。（　　）
④ □にたこができる。（　　）
⑤ 父は町会長なので□が広い。（　　）
⑥ 仏の顔も□度まで。（　　）
⑦ 雨降って□固まる。（　　）
⑧ 祖父は、僕を見て□を細めた。（　　）
⑨ 成績がいいことを□にかける。（　　）
⑩ どろぼうから□を洗う。（　　）

暗記リスト

ひと言アドバイス

言《い》わぬが花《はな》…はっきり言わないでおくほうがいい。類義語「沈黙《ちんもく》は金」。

鼻《はな》で笑《わら》う…相手を小ばかにして笑う。鼻先で笑う。

手塩《てしお》にかける…自分が最初からめんどうを見て大事に育てる。

耳《みみ》にたこができる…同じ話を何度も聞かされる。

顔《かお》が広《ひろ》い…知人が多い。ほかに「顔が利《き》く…権力などをもっていて、その人が出ることで、無理なことでも通る」の出題もある。

仏《ほとけ》の顔《かお》も三度《さんど》まで…どんなにやさしい人でも、何度もひどいことをされれば怒りだす。

雨降《あめふ》って地固《じかた》まる…もめごとのあと、かえってよい状態に落ち着く。

目《め》を細《ほそ》める(目を細くする)…うれしそうな顔をする。

鼻《はな》にかける…自分がすぐれていることを自慢する。

足《あし》を洗《あら》う…よくない仕事や、悪い行いをきっぱりやめる。

解答

① 花　② 鼻　③ 手　④ 耳　⑤ 顔　⑥ 三　⑦ 地　⑧ 目　⑨ 鼻　⑩ 足

1回目　2回目　3回目　カンペキ!

慣用句・ことわざ⑤

● □にあてはまる漢字を答えなさい。

□分□秒で暗記完了！

1分間テスト

① 二□から目薬。（　）
② 弟は甘いものに□がない。（　）
③ □《アブラ》を売っていないで早く帰れ。（　）
④ プロの手品に妹は□を丸くした。（　）
⑤ 火に□を注ぐようなものだ。（　）
⑥ □転び□起き。（　、　）
⑦ □死に□生を得る。（　、　）
⑧ 泣き□に蜂《はち》。（　）
⑨ 私が□をはさむ問題ではない。（　）
⑩ 早起きは□文の徳。（　）

暗記リスト

ひと言アドバイス

二《に》階《かい》から目《め》薬《ぐすり》…思うようにならずもどかしいこと。

目《め》がない…非常に好きである。

油《あぶら》を売《う》る…むだ話をして時間をつぶしたり、なまけたりする。

目《め》を丸《まる》くする…びっくりして目を見開く。

火《ひ》に油《あぶら》を注《そそ》ぐ…勢いをさらにいっそう強くする。

七《なな》転《ころ》び八《や》起《お》き…何回失敗しても立ち上がりやり直す。四字熟語で「七転八起《しちてんはっき》」とも言う。

九《きゅう》死《し》に一《いっ》生《しょう》を得《え》る…助かる見込みがなかったところを、やっとのことで助かる。四字熟語「九死一生《きゅうしいっしょう》」は同じ意味。

泣《な》き面《つら》に蜂《はち》…悪いことのうえにまた悪いことが重なる。類義語「弱り目にたたり目」。

口《くち》をはさむ…ほかの人の話に割りこんで話す。

早《はや》起《お》きは三文《さんもん》の徳《とく》…早起きをすると、よいことがある。

解答

① 階
② 目
③ 油
④ 目
⑤ 油
⑥ 七、八
⑦ 九、一
⑧ 面
⑨ 口
⑩ 三

1回目 ／
2回目 ／
3回目 ／
カンペキ！

慣用句・ことわざ⑥

●□にあてはまる漢字を答えなさい。

□分□秒で暗記完了!

1分間テスト

① □がすべって秘密をもらす。（　　）
② 弟のいたずらに□を焼いている。（　　）
③ 破□の勢いで決勝戦に進んだ。（　　）
④ 腹を□って話をしよう。（　　）
⑤ 人の意見に耳を□そうとしない。（　　）
⑥ 悪事□里を走る。（　　）
⑦ 立つ□跡《あと》を濁《にご》さず。（　　）
⑧ 姉は□をすくめて苦笑した。（　　）
⑨ 雀《すずめ》□まで踊《おど》り忘れず。（　　）
⑩ 歩き続けて、足が□になる。（　　）

暗記リスト

ひと言アドバイス

口《くち》がすべる…言ってはいけないことをうっかりしゃべる。「舌がすべる」も同じ意味で正解になる。

手《て》を焼《や》く…対処に困る。あつかいにくい。「手に負えない…自分の力ではどうにもできない」の出題もある。

破竹《はちく》の勢《いきお》い…竹を割るように、途中でおさえられない勢い。類義語「飛ぶ鳥を落とす勢い」。

腹《はら》を割《わ》る…かくさずに本心を打ち明ける。

耳《みみ》を貸《か》す…人の話を聞く。

悪事千里《あくじせんり》を走《はし》る…悪いことの評判はあっという間に世間に広まる。

立《た》つ鳥跡《とりあと》を濁《にご》さず…立ち去るときは、今までいた所をきれいにして去るべきだ。

肩《かた》をすくめる…どうしようもない、という気持ちを表す。

雀百《すずめひゃく》まで踊《おど》り忘《わす》れず…小さいときの習慣やくせは、年をとっても忘れない。

足《あし》が棒《ぼう》になる…長時間歩いたり立ち続けたりして、足が疲れて思うように動かせなくなる状態のこと。

解答

① 口（舌）
② 手
③ 竹
④ 割
⑤ 貸
⑥ 千
⑦ 鳥
⑧ 肩
⑨ 百
⑩ 棒

1回目　2回目　3回目　カンペキ!

四字熟語①

1回目 ／
2回目 ／
3回目 ／
カンペキ!

● □にあてはまる漢字を答えなさい。

□分□秒で暗記完了!

1分間テスト

① □□一転（　、　）
② □刀□入（　、　）
③ 絶□絶□（　、　）
④ 異□同□（　、　）
⑤ 空□絶□（　、　）
⑥ □日□秋（　、　）
⑦ □□選択（　、　）
⑧ 大□晩□（　、　）
⑨ □苦□苦（　、　）
⑩ □人十□（　、　）

暗記リスト

ひと言アドバイス

心機一転（しんきいってん）…あることをきっかけに、気持ちを入れかえる。㊞心機一転して、新しい勉強に取り組む。

単刀直入（たんとうちょくにゅう）…いきなり話の要点に入る。㊞単刀直入におたずねします。

絶体絶命（ぜったいぜつめい）…体も命も追いつめられて、とても逃《のが》れる道がない。「絶対」と書くのは誤り。

異口同音（いくどうおん）…多くの人が口をそろえて同じことを言う。㊞全員が異口同音に反対した。

空前絶後（くうぜんぜつご）…今までにもなく、これからもないだろうと思われる。㊞空前絶後の大発見。

一日千秋（いちじつせんしゅう）…待ち遠しくて一日が千年のように長く思われる。「いちにちせんしゅう」とも言う。

取捨選択（しゅしゃせんたく）…悪いもの、不要なものを捨て、よいもの、必要なものを選び取る。㊞情報を取捨選択する。

大器晩成（たいきばんせい）…すぐれた人は、若いうちは目立たないで、年をとってから立派になる。㊞彼《かれ》は大器晩成型です。

四苦八苦（しくはっく）…大変な苦しみ。非常に苦しむ。㊞難しい問題に四苦八苦する。

十人十色（じゅうにんといろ）…感じ方や考え方は人によって違う。㊞人の好みは十人十色だ。

解答

①心、機
②単、直
③体、命
④口、音
⑤前、後
⑥一、千
⑦取、捨
⑧器、成
⑨四、八
⑩十、色

四字熟語 ②

●□にあてはまる漢字を答えなさい。

□分□秒で暗記完了!

1分間テスト

① □□棒大　(　、　)
② 半□《シン》半□　(　、　)
③ 起□回□　(　、　)
④ □差□別　(　、　)
⑤ 右□左□　(　、　)
⑥ □□小異　(　、　)
⑦ 公□□大　(　、　)
⑧ □転□倒《とう》　(　、　)
⑨ □□東風　(　、　)
⑩ 一□《ゴ》一□《エ》　(　、　)

暗記リスト

ひと言アドバイス

針小棒大(しんしょうぼうだい)…小さなことを大げさに言うこと。(例)針小棒大に話す。

半信半疑(はんしんはんぎ)…半分信じて、半分疑うこと。(例)半信半疑で話を聞く。

起死回生(きしかいせい)…今にもだめになりそうなことを立て直す。(例)起死回生の逆転打を打った。

千差万別(せんさばんべつ)…多くの違いがあること。それぞれに違っている。(例)人の考えは千差万別だ。

右往左往(うおうさおう)…どうしたらよいかわからず、あちこち動き回る。(例)出口がわからず右往左往する。

大同小異(だいどうしょうい)…だいたいは同じだが、小さな部分だけが異なる。(例)どの発表も大同小異だ。

公明正大(こうめいせいだい)…公平で正しく、堂々としている。(例)公明正大な判定。

七転八倒(しちてんばっとう)…痛みや苦しみのために転げ回る。(例)七転八倒の苦しみにたえた。

馬耳東風(ばじとうふう)…他人の意見や批評を気にかけず、平気でいる。(例)馬耳東風と聞き流す。類義語「馬の耳に念仏」。

一期一会(いちごいちえ)…一生に一度だけの大切な出会い。(例)一期一会の縁《えん》。

解答

①針、小　②信、疑　③死、生　④千、万　⑤往、往　⑥大、同　⑦明、正　⑧七、八　⑨馬、耳　⑩期、会

1回目 ／　2回目 ／　3回目 ／　カンペキ!

ランクA
書き取り
慣用句・ことわざ
四字熟語
同音・同訓異字
読み
対義語
チェック問題

四字熟語③

●□にあてはまる漢字を答えなさい。

□分□秒で暗記完了!

1分間テスト

① 以□伝□（　、　）
② 晴□□読（　、　）
③ 意味□《シン》□（　、　）
④ □寒□温（　、　）
⑤ □□霧《む》中（　、　）
⑥ □□《リ》一体（　、　）
⑦ 温□知□（　、　）
⑧ □代未□（　、　）
⑨ □□雷《らい》同（　、　）
⑩ □変□化（　、　）

暗記リスト

ひと言アドバイス

以心伝心（いしんでんしん）…言葉に出さなくても、気持ちが通じ合う。㊟こちらの気持ちが以心伝心で伝わった。

晴耕雨読（せいこううどく）…晴れた日は田畑を耕し、雨の日は家にいて本を読むという自由な生活。㊟晴耕雨読の生活。

意味深長（いみしんちょう）…言葉や動作の裏に、深い意味がかくされている。㊟彼《かれ》は意味深長な言葉を残して出ていった。

三寒四温（さんかんしおん）…三日ほど寒い日が続いたあとに、四日ほど暖かい日が続く。冬から春先にかけて見られる天候。

五里霧中（ごりむちゅう）…見通しがつかなくて、どうしたらよいかわからない。㊟話し合いのゆくえは五里霧中だ。

表裏一体（ひょうりいったい）…2つのものの関係がとても強く、切り離せないこと。㊟心とからだは表裏一体の関係にある。

温故知新（おんこちしん）…昔のことを学び研究して、今に通じる新しい考え方や知識を見出す。㊟温故知新で学びを得る。

前代未聞（ぜんだいみもん）…今まで聞いたこともないような珍しいこと。㊟前代未聞の事件が発生した。

付和雷同（ふわらいどう）…わけもなく人の意見にすぐに従う。㊟すぐに付和雷同するくせは改めなければならない。

千変万化（せんぺんばんか）…様子がさまざまに変化する。㊟千変万化する雲の形。

解答

①心、心　②耕、雨　③深、長　④三、四　⑤五、里　⑥表、裏　⑦故、新　⑧前、聞　⑨付、和　⑩千、万

1回目　2回目　3回目　カンペキ!

四字熟語④

● □にあてはまる漢字を答えなさい。

□分□秒で暗記完了!

1分間テスト

① □石二□ （　、　）
② 言語□《ドウ》□ （　、　）
③ 一□一□《セキ》 （　、　）
④ □田□水 （　、　）
⑤ 一進□□ （　、　）
⑥ 自□《ガ》自□ （　、　）
⑦ □□応変 （　、　）
⑧ □心□乱 （　、　）
⑨ 因□応□ （　、　）
⑩ 岡《おか》□□目 （　、　）

暗記リスト

ひと言アドバイス

一石二鳥(いっせきにちょう)…あるひとつのことをして、同時に2つの得をする。類義語「一挙両得」。

言語道断(ごんごどうだん)…言葉も出ないほどひどい。もってのほか。㋲あんなことをするなんて言語道断だ。

一朝一夕(いっちょういっせき)…ひと朝、ひと晩という意味から、わずかの月日。㋲英語は一朝一夕では身につかない。

我田引水(がでんいんすい)…自分に都合のよいようにふるまう。㋲それは我田引水の意見だよ。

一進一退(いっしんいったい)…進んだりあと戻りしたりする。よくなったり悪くなったりする。㋲病状が一進一退する。

自画自賛(じがじさん)…自分で自分のことをほめる。㋲我ながらよくできたと自画自賛した。

臨機応変(りんきおうへん)…そのときその場に合わせて、適切なやり方をする。㋲臨機応変に受け答えをする。

一心不乱(いっしんふらん)…わき目もふらずにひとつのことにはげむこと。㋲一心不乱に勉強する。

因果応報(いんがおうほう)…その人のおこないに応じて、(悪い)報いがくること。類義語「自業自得」「身から出たさび」。

岡目八目(おかめはちもく)…直接関係のない人のほうが、物事の善し悪しがよくわかる。㋲岡目八目の意見が役立つ。

解答

①一、鳥　②道、断　③朝、夕　④我、引　⑤一、退　⑥画、賛　⑦臨、機　⑧一、不　⑨果、報　⑩目、八

1回目　2回目　3回目　カンペキ!

ランクA / 書き取り / 慣用句・ことわざ / 四字熟語 / 同音・同訓異字 / 読み / 対義語 / チェック問題

同音・同訓異字①

●――のカタカナを漢字に直しなさい。

□分□秒で暗記完了！

1分間テスト

① 責任からカイホウされる。（　　）
② 校庭が一般にカイホウされる。（　　）
③ 怪我《けが》がカイホウに向かう。（　　）
④ 人間の成長するカテイを研究する。（　　）
⑤ もしもの場合をカテイする。（　　）
⑥ 小学校の教育カテイを終える。（　　）
⑦ 大学に進んで学問をオサめる。（　　）
⑧ 大成功をオサめた。（　　）
⑨ 国をオサめる。（　　）
⑩ 税金をオサめる。（　　）

暗記リスト

ひと言アドバイス

解放…束縛《ばく》や制限から自由になること。解放↔束縛
㋳苦痛から解放される

開放…だれでも出入り自由にすること。開放↔閉鎖
㋳門戸を開放し、広く人材を求める

快方…病気や怪我《けが》がよくなっていくこと。

過程…プロセス。進んでいく筋道《すじみち》。
㋳発展していく過程　進化の過程　研究の過程

仮定…かりにそうだと決めて考えること。
㋳仮定に基づいて計画を立てる。

課程…カリキュラム。修得するために割り当てられた学習範囲や指導順序。

修める…学んで自分のものにすること。
㋳医学を修める　法学を修める

「よい結果を得る」「中に入《い》れる」などの意味で使う。
㋳勝利を収める　成果を収める　博物館に遺物を収める

「国を支配する」という意味での「治める」のほかに、「痛みが治まる」という出題もあるので、こちらも覚えておこう。

金品を渡す意味での「納める」の出題が圧倒的に多い。
㋳授業料を納める　費用を納める

1回目　2回目　3回目　カンペキ!

解答

① 解放
② 開放
③ 快方
④ 過程
⑤ 仮定
⑥ 課程
⑦ 修
⑧ 収
⑨ 治
⑩ 納

同音・同訓異字②

● ――のカタカナを漢字に直しなさい。

□分□秒で暗記完了!

1分間テスト

① どんよりとしたアツい雲。（　）
② 頬《ほお》がカっとアツくなった。（　）
③ アツい夏の日。（　）
④ 民衆のシジを得る。（　）
⑤ 全校生徒に避《ひ》難のシジを出す。（　）
⑥ 有名な画家にシジして学ぶ。（　）
⑦ 音楽にカンシンがある。（　）
⑧ その行動力にカンシンした。（　）
⑨ この表現はすべてアヤマりだ。（　）
⑩ 素直にアヤマる。（　）

暗記リスト

ひと言アドバイス

厚い…ものの厚みや幅があること。
㊞先生からの信頼が厚い

熱い…温度が高いこと。感情が高まっていること。
㊞感動して熱いものがこみ上げてきた

暑い…気温が高いこと。

支持…賛成し応援《おうえん》すること。
㊞現首相の支持率　友達の意見を支持する

指示…指図すること。

師事…先生として教えを受けること。

関心…興味。
㊞教育に関心がある

感心…「立派だ」「えらい」と心から思うこと。

誤る…間違える。誤り…間違い。

謝る…謝罪する。必ず問題文を読んで、「誤る」「謝る」のどちらが適切かを判断すること。

1回目　2回目　3回目　カンペキ!

解答

①厚　②熱　③暑　④支持　⑤指示　⑥師事　⑦関心　⑧感心　⑨誤　⑩謝

ランクA　書き取り　慣用句・ことわざ　四字熟語　同音・同訓異字　読み　対義語　チェック問題

同音・同訓異字③

●――のカタカナを漢字に直しなさい。

□分□秒で暗記完了！

1分間テスト

① タイショウ的な性格だ。（　　）
② 若者をタイショウとした調査。（　　）
③ 左右タイショウの図。（　　）
④ 建物がイタんできた。（　　）
⑤ 犬にかまれてイタい。（　　）
⑥ 家族コウセイを尋《たず》ねる。（　　）
⑦ コウセイな態度をつらぬく。（　　）
⑧ 教育に関する本をアラワした。（　　）
⑨ 二人の子が庭からアラワれた。（　　）
⑩ 図でアラワす。（　　）

暗記リスト

ひと言アドバイス

対照…2つのものを照らし合わせること。見比べること。
例 好対照をなす

対象…相手、目標となるもの。
例 うわさの対象となる

対称…ものとものとが対応し合う関係にあること。
例 線対称

傷む…おもに物が破損する場合に使うが、髪・ツメ・肌《はだ》が損傷する場合にも使われる。例 桃《もも》が傷む　衣装《しょう》が傷む　肌が傷む

痛む…心身に痛みを感じるときに使う。

構成…全体を組み立てること。また、その組み立て。

公正…どちらにもかたよらないで、公平で正しいこと。

著す…書物にして発表する。

現す…今までかくれていたものを見えるようにする。
例 姿を現す　才能を現す　正体を現す

表す…考えや感情を表《おもて》に出してわかるようにする。
例 喜びを表す　反対の態度を表す

1回目 ／　2回目 ／　3回目 ／　カンペキ！

解答

① 対照
② 対象
③ 対称
④ 傷
⑤ 痛
⑥ 構成
⑦ 公正
⑧ 著
⑨ 現
⑩ 表

同音・同訓異字④

●――のカタカナを漢字に直しなさい。

□分□秒で暗記完了！

1分間テスト

暗記リスト

① 安全ホショウ条約。（　）
② 商品の品質をホショウする。（　）
③ 弁解のヨチがない。（　）
④ 地震をヨチする。（　）
⑤ 約束をヤブる。（　）
⑥ 戦いにヤブれた兵士。（　）
⑦ サイゲンなく続く赤字。（　）
⑧ 優勝の瞬間をサイゲンする。（　）
⑨ ヒッシの覚悟《かくご》で臨んだ。（　）
⑩ 遅《ち》刻するのはヒッシだ。（　）

ひと言アドバイス

保障…ある状態を保護し、守ること。㊒社会保障制度　表現の自由を保障する　生活を保障する

保証…確かに間違いがないと認め、責任を持つ。確かだという「証《あかし》」を「保つ」こと。㊒保証書　保証人

余地…ゆとり。余裕。㊒改善の余地がある

予知…前もって知ること。

破る…①物事をだめにする。㊒ノートを破る　夢が破れる　②ぬりかえる。負かす。㊒記録を破る　宿敵を破る

敗れる…負けること。㊒決勝戦で敗れる　宿敵に敗れる

際限なく…終わりなく。どこまでも。

再現…過去の出来事や状況を出現させたり作り出すこと。

必死…死ぬ気になるくらい全力をつくすこと。㊒必死になって泳いだ

必至…必ずそうなること。㊒グループの解散は必至だ

解答

①保障　②保証　③余地　④予知　⑤破　⑥敗　⑦際限　⑧再現　⑨必死　⑩必至

1回目／　2回目／　3回目／　カンペキ！

ランクA
書き取り
慣用句・ことわざ
四字熟語
同音・同訓異字
読み
対義語
チェック問題

読み①

1 次の漢字の読みを答えなさい。

① 委ねる（　）
② 養蚕（　）
③ 奮う（　）
④ 朗らか（　）
⑤ 育む（　）
⑥ 敬う（　）
⑦ 額（　）
⑧ 安否（　）
⑨ 快い（　）
⑩ 定石（　）
⑪ 気配（　）
⑫ 退ける（　）
⑬ 米俵（　）
⑭ 拝む（　）
⑮ 垂らす（　）
⑯ 禁物（　）
⑰ 工面（　）
⑱ 厳か（　）
⑲ 険しい（　）
⑳ 口調（　）

解答 **1**
①ゆだ ②ようさん ③ふる ④ほが ⑤はぐく ⑥うやま ⑦ひたい（がく） ⑧あんぴ ⑨こころよ ⑩じょうせき ⑪けはい ⑫しりぞ ⑬こめだわら ⑭おが ⑮た ⑯きんもつ ⑰くめん ⑱おごそ ⑲けわ ⑳くちょう

2 次の漢字の読みを答えなさい。

① 刻む（　）
② 省く（　）
③ 分別（　）
④ 便乗（　）
⑤ 重宝（　）
⑥ 唱える（　）
⑦ 経る（　）
⑧ 支度（　）
⑨ 著しい（　）
⑩ 境内（　）
⑪ 戸外（　）
⑫ 形相（　）
⑬ 頂（　）
⑭ 土産（　）
⑮ 尊い（　）
⑯ 車窓（　）
⑰ 率いる（　）
⑱ 納得（　）
⑲ 雑木林（　）
⑳ 養生（　）

解答 **2**
①きざ ②はぶ ③ふんべつ（ぶんべつ） ④びんじょう ⑤ちょうほう ⑥とな ⑦へ ⑧したく ⑨いちじる ⑩けいだい ⑪こがい ⑫ぎょうそう ⑬いただき（ちょう） ⑭みやげ ⑮とうと（たっと） ⑯しゃそう ⑰ひき ⑱なっとく ⑲ぞうきばやし ⑳ようじょう

1回目 ／
2回目 ／
3回目 ／
カンペキ！

読み②

1 次の漢字の読みを答えなさい。

① 本望（　　）
② 補う（　　）
③ 所作（　　）
④ 刷新（　　）
⑤ 費やす（　　）
⑥ 上背（　　）
⑦ 沿う（　　）
⑧ 類い（　　）
⑨ 報いる（　　）
⑩ 内訳（　　）
⑪ 画策（　　）
⑫ 直ちに（　　）
⑬ 皮革（　　）
⑭ 背く（　　）
⑮ 就く（　　）
⑯ 刷る（　　）
⑰ 練る（　　）
⑱ 蔵書（　　）
⑲ 説く（　　）
⑳ 河川（　　）

解答 **1**
①ほんもう ②おぎな ③しょさ ④さっしん ⑤つい ⑥うわぜい ⑦そ ⑧たぐ ⑨むく ⑩うちわけ ⑪かくさく ⑫ただ ⑬ひかく ⑭そむ ⑮つ ⑯す ⑰ね ⑱ぞうしょ ⑲と ⑳かせん

2 次の漢字の読みを答えなさい。

① 無造作（　　）
② 枚挙（　　）
③ 絵画（　　）
④ 家屋（　　）
⑤ 風情（　　）
⑥ 再来年（　　）
⑦ 延びる（　　）
⑧ 営む（　　）
⑨ 体裁（　　）
⑩ 率直（　　）
⑪ 裁く（　　）
⑫ 潔い（　　）
⑬ 能率（　　）
⑭ 設ける（　　）
⑮ 成就（　　）
⑯ 障子（　　）
⑰ 細工（　　）
⑱ 家路（　　）
⑲ 束ねる（　　）
⑳ 著名（　　）

解答 **2**
①むぞうさ ②まいきょ ③かいが ④かおく ⑤ふぜい ⑥さらいねん ⑦の ⑧いとな ⑨ていさい ⑩そっちょく ⑪さば ⑫いさぎよ ⑬のうりつ ⑭もう ⑮じょうじゅ ⑯しょうじ ⑰さいく ⑱いえじ ⑲たば ⑳ちょめい

1回目 ／
2回目 ／
3回目 ／
カンペキ！

対義語

1

□にあてはまる漢字を答えなさい。

□分□秒で暗記完了!

1分間テスト

暗記リスト

① 単純 ↔ □□（　）
② 原因 ↔ □□（　）
③ 拡大 ↔ □小（　）
④ 生産 ↔ □□《ヒ》（　）
⑤ 安全 ↔ □□（　）
⑥ 収入 ↔ □□（　）
⑦ 利益 ↔ □□《シツ》（　）
⑧ 義務 ↔ □□《リ》（　）
⑨ 抽《ちゅう》象 ↔ □□（　）
⑩ 減少 ↔ □□（　）

2

□にあてはまる漢字を答えなさい。

□分□秒で暗記完了!

1分間テスト

暗記リスト

① 集合 ↔ □《カイ》□（　）
② 部分 ↔ □□（　）
③ 偶《ぐう》然 ↔ □□（　）
④ 理想 ↔ □□（　）
⑤ 前進 ↔ □□（　）
⑥ 派手 ↔ □□（　）
⑦ 天然(自然) ↔ □□（　）
⑧ 客観 ↔ □□（　）
⑨ 短縮 ↔ □□（　）
⑩ 絶対 ↔ □□（　）

1回目 ／
2回目 ／
3回目 ／
カンペキ!

解答

1 ①複雑 ②結果 ③縮 ④消費 ⑤危険 ⑥支出 ⑦損失 ⑧権利 ⑨具体 ⑩増加(増大)

2 ①解散 ②全体 ③必然 ④現実 ⑤後退 ⑥地味 ⑦人工 ⑧主観 ⑨延長 ⑩相対

できたらカンペキ!!
難易度★★★

ランクA 完成度チェック問題

1回目 ／

2回目 ／

3回目 ／

カンペキ!

●合格点70点（一つ2点）

100点満点 点

1 次の漢字を書きなさい。 ●解答は158ページ

① □□《せんもん》家の意見を聞く。

② 案の善し悪しを□□《けんとう》する。

③ 店の□□《かんばん》を見る。

④ 旅館を□《いとな》む。

⑤ □《たがや》したばかりの畑。

⑥ □□《てんけい》的な例を挙げる。

⑦ □□《こくもつ》を育てる。

⑧ □□《さんぱい》に訪れた人々。

⑨ 代表者に決定を□《ゆだ》ねる。

⑩ 災害からの□□《ふっこう》を目指す。

⑪ □□《かんそ》な生活を心がける。

⑫ 反対意見を□《しりぞ》ける。

⑬ □《ひたい》にはちまき。

⑭ □□《けいとう》立てて考える。

⑮ 予想外の□□《ろうほう》が飛び込む。

⑯ 海に□《のぞ》む町。

⑰ 魚がえさに□《むら》がる。

⑱ □□《せんれん》されたフォーム。

⑲ 期日を□《の》ばしてもらう。

⑳ 試験に対する心□《がま》え。

㉑ 裏方の仕事に□□《かんしん》がわく。

㉒ お月見に団子を□《そな》える。

㉓ 事態の□□《しゅうしゅう》をはかる。

次のページへ

2 □にあてはまる漢字を答えなさい。

① 見事な演技に□を巻く。

② 雨降って□固まる。

③ 彼女《かのじょ》に□□の矢が立つ。

④ □に衣着せぬ言い方。

⑤ 人の意見に耳を□さない。

⑥ 身を□にして働く。

⑦ 馬の耳に□□。

⑧ □に余る態度。

⑨ 泣き□に蜂《はち》。

3 四字熟語を完成させなさい。

① □□選択

② □□一転

③ 大□晩□

④ □差□別

⑤ 公□□大

⑥ 温□知□

⑦ 起□回□

⑧ □田□水

⑨ □□応変

4 次の漢字を書きなさい。

① 責任から□□《かいほう》される。

② 校庭が一般に□□《かいほう》される。

③ 怪我《けが》が□□《かいほう》に向かう。

④ この表現はすべて□《あやま》りだ。

⑤ 素直に□《あやま》る。

⑥ 安全□□《ほしょう》条約。

⑦ 商品の品質を□□《ほしょう》する。

⑧ 弁解の□□《よち》がない。

⑨ 地震を□□《よち》する。

●解答は158ページ

★ランクB★

頻出問題を制覇！
受験生必須の520問

受験生なら確実に正解できるように準備しておきたい重要問題、それがランクBの520問だ。

受験生にとってこのランクまでの習得は必須と思ってほしい。

ここを乗り越えれば、キミの自信と実力がさらに深まることになるだろう。

問題を解く際には、まず問題文を丁寧に読み込み、
同音異義語や同訓異字に気をつけて文脈に合った漢字を選び取ること。

そして、解答は誰が見ても読みやすく、はっきりと書くことを心掛けること。

それでは、ランクBも気を抜かず、もう一度新しい気持ちで始めよう！

出る順
「中学受験」漢字1580が
7時間で覚えられる問題集
[3訂版]

書き取り①

● ――のカタカナを漢字に直しなさい。

□分□秒で暗記完了！

1分間テスト

暗記リスト

① 危険をサッチする。（　）
② ソシキの中で奮戦する。（　）
③ ムチュウで本を読む。（　）
④ モゾウ品が出回る。（　）
⑤ 名前のユライを聞く。（　）
⑥ 汽車がケイテキを鳴らす。（　）
⑦ 責任をオう。（　）
⑧ 年末年始はキョウリに帰る。（　）
⑨ 水がジョウハツする。（　）
⑩ 保守とカクシンが対立する。（　）

ひと言アドバイス	出題例
察知…それとなく知ること。	警察　査察　視察　承知　周知
組織…ある目的をもって集まった人やもの。	織る　絹織物　羽織《はおり》
四字熟語「無我夢中」はよく出る。	無我夢中　中腹　胸中　的中
模造…ほんものに似せてつくったもの。	模造紙　規模　模型　製造　無造作　造営
「由」の筆順は「田」と同じ順に書く。	往来　去来　従来　本来　未来　来訪
警笛…注意をうながすために鳴らす笛やその音。「笛」と「苗」を区別する。	警告　警官　警報　汽笛
「追いかける」の「追う」と区別する。	自負　勝負　負担　背負う
郷里…生まれ育った土地や場所。	故郷　望郷　千里眼
「蒸」の「了」の下の横線を書き忘れないこと。	蒸す　蒸留　先発　発汗　発想　発着
革新…それまでのやり方や考え方を変えて、新しくすること。革新↔保守	改革　沿革　革命　刷新　新調　新幹線

1回目
2回目
3回目
カンペキ！

解答

①察知 ②組織 ③夢中 ④模造 ⑤由来 ⑥警笛 ⑦負 ⑧郷里 ⑨蒸発 ⑩革新

書き取り②

●――のカタカナを漢字に直しなさい。

□分□秒で暗記完了！

1分間テスト

① 私の祖父はハクシキだ。（　　）
② エンゲキを観《み》る。（　　）
③ 一家のシチュウを失う。（　　）
④ カンショウ的になってしまう。（　　）
⑤ サイバン所を見学する。（　　）
⑥ トウロン会に参加する。（　　）
⑦ 考慮《りょ》のヨチはない。（　　）
⑧ 王としてクンリンする。（　　）
⑨ 信用をソコなう。（　　）
⑩ 時代のチョウリュウに乗る。（　　）

暗記リスト

	ひと言アドバイス	出題例
①	博識…広い知識を持っていること。	標識　識別　常識
②	「演」の出る順は「演奏、講演、演劇、演技、演出、演じる」。セットで覚えよう。	演出　演技　悲劇　歌劇　劇場
③	支柱…支えとなる柱、だいじな存在。	気管支　収支　電柱　大黒柱
④	「傷」は「傷つける」「誹謗中傷《ひぼうちゅうしょう》」も覚えておこう。	痛感　感心　感無量　負傷　傷害事件
⑤	「裁」は、はねるところなどをしっかり確認しておこう。	裁断　裁つ　体裁《ていさい》　裁決　批判　判明
⑥	類義語として「ディスカッション」「討議」がある。	検討　討議　結論　議論　持論　推論
⑦	「余っている土地」の意から、「ゆとり、余裕」という意味が派生した。	余白　余談　余波　宅地　緑地
⑧	「臨」を使った四字熟語「臨機応変」はよく出る。	臨む　臨時　臨海
⑨	「見損なう」「美観を損ねる」としても出題されている。	破損　損害　欠損　損傷　損得
⑩	潮流…世の中の動き。時流。	最高潮　流通

解答

①博識　②演劇　③支柱　④感傷　⑤裁判　⑥討論　⑦余地　⑧君臨　⑨損　⑩潮流

1回目 ／　2回目 ／　3回目 ／　カンペキ！

書き取り③

● ——のカタカナを漢字に直しなさい。

□分□秒で暗記完了！

1分間テスト

① 準備にヨネンがない。（　　）
② 希望がメバえる。（　　）
③ シュウカンシを買う。（　　）
④ 作品が一堂にテンジされている。（　　）
⑤ 紫《し》外線で肌《はだ》がイタむ。（　　）
⑥ 全国大会がカイマクする。（　　）
⑦ 日本選手団のキシュを務める。（　　）
⑧ 大学のコウギに出席する。（　　）
⑨ 失敗を素直にアヤマる。（　　）
⑩ 柿《かき》の実がウれる。（　　）

暗記リスト

ひと言アドバイス	出題例	解答
余念がない…ほかのことを考えず、熱心にする。	余地　余計　余談　専念　観念　念頭	①余念
芽が出始めるので「生える」を使う。「映える」との意味の違いに注意。	発芽　衛生　誕生　派生　生息	②芽生
雑誌の場合は「誌」、新聞の場合は「紙」を使う。例：誌面　紙面	創刊　刊行　雑誌	③週刊誌
「展」を「展」としないように注意。	展開　個展　進展　提示　指示	④展示
傷む…傷つくこと。「痛む」との違い(50ページ)。	負傷　感傷　軽傷　損傷　中傷　古傷《ふるきず》	⑤傷
開幕↔閉幕	開放　展開　再開　開票　除幕　横断幕	⑥開幕
旗手…旗を持つ役目の人。	反旗　不手際　手間　得手《えて》	⑦旗手
「講」を「構」と、「義」を「議」と書かないように注意。	講習　講堂　講座　意義　恩義　多義	⑧講義
送りがな注意→謝る。	感謝　謝辞　謝絶　代謝《たいしゃ》	⑨謝
「熟」の「丸」は「ノ」から書き始める。	熟練　成熟　円熟　熟す　熟達	⑩熟

1回目 ／　2回目 ／　3回目 ／　カンペキ！

書き取り④

● ——のカタカナを漢字に直しなさい。

□分□秒で暗記完了!

1回目 ／　2回目 ／　3回目 ／　カンペキ!

1分間テスト

① 道具をかごにツむ。（　　）
② 彼《かれ》はサンセイハにまわった。（　　）
③ 開園時間をエンチョウする。（　　）
④ フシギな気持ち。（　　）
⑤ 食品エイセイに気をつける。（　　）
⑥ 食後にイチョウヤクを飲む。（　　）
⑦ 校庭が一般にカイホウされる。（　　）
⑧ 頭の中がコンランする。（　　）
⑨ チームのケッソクを図る。（　　）
⑩ ジュクレンしたパイロット。（　　）

暗記リスト

	ひと言アドバイス	出題例	解答
①	ほかに「積み木」「山積み」の出題もある。	山積　積年　容積	積
②	「派」の総画数は9画であることに注意。	賛否　絶賛　成分　達成　派生　立派	賛成派
③	延長↕短縮	順延　長じる　助長	延長
④	「不」を使った四字熟語「一心不乱」の出題も多い。	不可分　思案　異議　抗議	不思議
⑤	「不衛生」としての出題もある。	護衛　防衛　野生　生い茂《しげ》る　寄生	衛生
⑥	「腸」は「日」の下の横線を忘れない。	断腸　薬局　劇薬　服薬	胃腸薬
⑦	「解放、快方」との違いに注意(48ページ)。	再開　開票　野《の》放《ほう》図《ず》　放射	開放
⑧	「混」の総画数は11画。	混合　混同　混戦　混入　乱暴　散乱	混乱
⑨	結束…同じ考えのものがひとつにまとまること。	帰結　結局　結構　結論　束ねる　約束	結束
⑩	類義語「熟達、習熟」。	熟れる　成熟　円熟　熟す　熟達　未練	熟練

ランクB
書き取り
慣用句・ことわざ
四字熟語
同音・同訓異字
読み
対義語・類義語
チェック問題

書き取り⑤

● ――のカタカナを漢字に直しなさい。

□分□秒で暗記完了!

1分間テスト

① ユダンしたのが失敗の原因だ。（　　）
② 島をぐるりとカコむ。（　　）
③ 本をカりる。（　　）
④ 目標達成はシナンのわざだ。（　　）
⑤ 子どものためのおイワい。（　　）
⑥ 人類のキゲンを探求する。（　　）
⑦ ケンブンを広める。（　　）
⑧ 郷里の祖父母をタズねた。（　　）
⑨ 地域社会のカンシュウに従う。（　　）
⑩ 機械をアヤツる。（　　）

暗記リスト

	ひと言アドバイス	出題例
①	四字熟語「油断大敵」も覚えておこう。	油田　予断　断る　断固　断腸　判断
②	「雰囲気《ふんいき》」の読み方を問う問題もある。	周囲　包囲　胸囲
③	「貸す」との違いに注意(153ページ)。	拝借　貸借《たいしゃく》
④	至難の業《わざ》…この上なく難しいおこない。	至福　至急　至る　難易度　無難
⑤	「祝」の「ネ(しめすへん)」を「禾(のぎへん)」と間違えないように。	祝賀　祝祭
⑥	「起」の「走」は「そうにょう」と言う。「己」は3画で書く。	奮起　提起　根源　水源　源泉　語源
⑦	見聞…見たり聞いたりすることによって得られる経験や知識。	知見　見当　見境《みさかい》　見過ごす　見損なう
⑧	「古都を訪ねる」のように人ではなく場所を訪ねる場合にも使う。	訪《おとず》れる　来訪
⑨	慣習…長年にわたっておこなわれてきたならわし。	習慣　慣れる　慣例　習得　練習
⑩	「人を操る」「操り人形」としての出題もある。	操縦　操作　操業　節操　体操

解答

① 油断　② 囲　③ 借　④ 至難　⑤ 祝　⑥ 起源　⑦ 見聞　⑧ 訪　⑨ 慣習　⑩ 操

1回目　2回目　3回目　カンペキ!

書き取り⑥

●——のカタカナを漢字に直しなさい。

□分□秒で暗記完了!

1分間テスト

① ダンチョウの思いで別れる。（　　）
② エンドウの観客に手を振る。（　　）
③ キジュン値よりも数値が高い。（　　）
④ 友人の結婚をシュクフクする。（　　）
⑤ アツい本を読む。（　　）
⑥ はっきり意見をシュチョウする。（　　）
⑦ およそのケントウをつける。（　　）
⑧ 重大なキョクメンに立つ。（　　）
⑨ 決死のギョウソウで水を運ぶ。（　　）
⑩ コイに車をぶつける。（　　）

暗記リスト

	ひと言アドバイス	出題例
①	断腸の思い…はらわたがちぎれるほどつらいこと。	断る 決断 断絶 断然 断念 胃腸
②	「沿」はよく出る漢字。必ず書けるようにしておこう。	沿う 沿革 沿線 報道 筋道《すじみち》 道徳
③	「準」は「準じる…ある基準に合わせること」の出題もある。	基調 基づく 照準 標準 準優勝
④	祝の「ネ(しめすへん)」は神や祖先への祈りや祭りに関する漢字に使われる。例：礼拝、祈る、祝福。	祝辞 祝賀会
⑤	「分厚《ぶあつ》い、信頼《しんらい》が厚い」としての出題もある。	厚手《あつで》 厚み 重厚 濃厚
⑥	「主」には、「主《おも》な、池の主《ぬし》、店の主《あるじ》」という読み方もある。	主眼 主権 主従 主体的 張る 緊張
⑦	「検討」との違いに注意(152ページ)。	見聞 拝見 知見 不当 担当 適当
⑧	局面…物事の情勢、なりゆき。	結局 薬局 難局 体面 真面目《まじめ》
⑨	形相…激しい感情が表れた顔つき。「鬼のような形相」など。	形勢 象形文字 様相 相変わらず
⑩	故意…何かの目的があって、わざとすること。故意↔過失	故障 故人 意図 不意 民意

1回目 ／　2回目 ／　3回目 ／　カンペキ!

解答

①断腸 ②沿道 ③基準 ④祝福 ⑤厚 ⑥主張 ⑦見当 ⑧局面 ⑨形相 ⑩故意

書き取り⑦

● ―のカタカナを漢字に直しなさい。

□分□秒で暗記完了！

1分間テスト

① 王をゴエイする兵たち。（　　）
② シンピ的な出来事。（　　）
③ チュウへはね上げられる。（　　）
④ 国とドウメイを結ぶ。（　　）
⑤ つばめのスを見つける。（　　）
⑥ 昆《こん》虫をサイシュウする。（　　）
⑦ 子供の世話をマカせる。（　　）
⑧ ホガらかな表情。（　　）
⑨ 委員長の案にイギを唱える。（　　）
⑩ ゾウキバヤシが広がる森。（　　）

暗記リスト

ひと言アドバイス	出題例	解答
「衛」の「ヰ」は上が出る。	護岸《ごがん》　保護　弁護　衛星　不衛生　防衛	①護衛
神秘…人の知恵でははかりしれない不思議な現象。	神経　女神《めがみ》　秘伝　秘宝　秘める	②神秘
宙…空中。「宙で視線が合う」「私は宙に眼《め》をやる」の出題もある。	宇宙　宙返り	③宙
同盟…同じ目的のために力を合わせようと約束すること。	同士　同窓　賛同　加盟　盟約	④同盟
「巣」の上の点は「ツ」の方向に付ける。	巣箱	⑤巣
採集…標本や研究などのために採り集めること。	採光　採用　採決　編集　句集　結集	⑥採集
横線の長さに注意。「お任せする」としての出題もある。	委任　任務　放任　留任	⑦任
朗らか…心が晴れ晴れとしていること。送りがな注意→朗らか。	明朗　朗読　朗朗	⑧朗
異議…異なる意見や考え。反対意見を言うことを「異を唱《い》える」と言う。	異様　異なる　抗議　衆議院　会議	⑨異議
雑木林…さまざまな木が入り混じって生えている林。	複雑　混雑　雑貨　並木　木綿《もめん》　林業	⑩雑木林

1回目　2回目　3回目

カンペキ！

書き取り⑧

●――のカタカナを漢字に直しなさい。

□分□秒で暗記完了!

1分間テスト　暗記リスト

① シキュウ電話をしてください。（　　）
② テれたように答えた。（　　）
③ デパートにキンムする。（　　）
④ 計画をコンカンから見直す。（　　）
⑤ 記憶力のよさをジフする。（　　）
⑥ シンケイを集中させる。（　　）
⑦ 水分ホキュウに注意する。（　　）
⑧ シュクジを述べる。（　　）
⑨ 将来はベンゴシになるつもりだ。（　　）
⑩ 住所をトウロクする。（　　）

ひと言アドバイス

① 類義語「火急《かきゅう》、早急《さっきゅう》」。
② 部首は「灬(れんが＝れっか)」。4つの点の向きにも注意。
③ 勤める(会社員などとして働く)。務める(役目や任務を受けもって果たす)。
④ 根幹…物事を成り立たせている、いちばんおおもとの部分。
⑤ 自負…能力・できばえなどに自信を持ち、自慢に思うこと。
⑥ ほかに「運動神経」の出題もある。
⑦ 「補」は「衤」の点を忘れない。「点を補う」と覚えよう。
⑧ 祝辞…祝いの言葉。「辞」の右側は「辛」。
⑨ 過去に「弁舌…ものの言い方や話しぶり」の出題もある。
⑩ 「録」は「水」ではなく「氺」。

出題例

① 必至　至難　冬至　救急　危急
② 対照　照準　照会
③ 勤める　通勤　勤勉　責務　義務
④ 根源　根底　根性　基幹　幹事　幹線
⑤ 自覚　負担　負傷　勝負　負荷
⑥ 精神　神秘　経験　経過
⑦ 補う　候補　補修　給食　給料　自給
⑧ 祝祭　祝賀　固辞　辞典　お世辞　辞書
⑨ 花弁　答弁　弁舌　保護　救護　護身術
⑩ 登頂　記録　付録

解答

① 至急
② 照
③ 勤務
④ 根幹
⑤ 自負
⑥ 神経
⑦ 補給
⑧ 祝辞
⑨ 弁護士
⑩ 登録

1回目　2回目　3回目　カンペキ!

ランクB　書き取り　慣用句・ことわざ　四字熟語　同音・同訓異字　読み　対義語・類義語　チェック問題

書き取り⑨

1回目 ／　2回目 ／　3回目 ／　カンペキ!

● ―のカタカナを漢字に直しなさい。

□分□秒で暗記完了!

1分間テスト

① 予想できないテンカイ。（　　）
② 水質のケンサをする。（　　）
③ 海面温度が上がるゲンショウ。（　　）
④ 日用ザッカのお店。（　　）
⑤ 便利なのでチョウホウする。（　　）
⑥ ゴミをジョキョする。（　　）
⑦ 家具のセイゾウ工場。（　　）
⑧ 新しい機器をドウニュウする。（　　）
⑨ ナイカク総理大臣。（　　）
⑩ 五万人の大カンシュウ。（　　）

暗記リスト

	ひと言アドバイス	出題例
①	「展」の総画数は10画。	展示　進展　個展　開放　満開
②	「検」は「しらべる」、「険」は「けわしい」という意味。	検討　検出　探検　探査　調査
③	「かたち・すがた」を表す「像」を書かないように注意。	具現　現状　現世　現像　対象　気象
④	雑貨…日常生活に必要なこまごましたもの。「貸」としないように。	複雑　雑談　金貨　硬貨
⑤	重宝…便利で役に立つこと。	重圧感　重厚　比重　重複《ちょうふく》　宝庫　秘宝
⑥	「除」の部首は「阝(こざとへん)」。「郡」のように右にあると「阝(おおざと)」。	除く　解除　消去　去来
⑦	「製」の部首は「衣(ころも)」、「造」の部首は「辶(しんにょう＝しんにゅう)」。	官製　製品　複製　創造　無造作　人造
⑧	物語などの最初の部分のことを「導入部」と言う。	輸入　購入《こうにゅう》　混入
⑨	内閣…日本やイギリスなど議院内閣制の国では国家行政の最高機関を指す。	案内　内訳　構内　組《そ》閣　天守閣　仏閣
⑩	「観」も「衆」もよく出る漢字。しっかり覚えておこう。	観覧　観測　景観　静観　公衆　民衆

解答

①展開　②検査　③現象　④雑貨　⑤重宝　⑥除去　⑦製造　⑧導入　⑨内閣　⑩観衆

書き取り⑩

● ――のカタカナを漢字に直しなさい。

□分□秒で暗記完了!

1分間テスト

① 静寂《じゃく》をヤブるエンジン音。（　　）
② もう一月ナカばですよ。（　　）
③ 人生のシヒョウとなる本。（　　）
④ 全国でも有数のケイショウ地。（　　）
⑤ 例をアげて説明する。（　　）
⑥ 選挙にコウホ者をたてる。（　　）
⑦ 動物をカンサツする。（　　）
⑧ 民芸品をシュウシュウする。（　　）
⑨ すばやくタイショする。（　　）
⑩ ヒナンをあびせる。（　　）

暗記リスト

	ひと言アドバイス	出題例	解答
①	ほかに「約束を破る」「ノートを破る」「夢が破れる」「新人が王者を破る」などと使う。	読破　看破《かんぱ》	①破
②	半ば…中ごろ。「半」を使った四字熟語「半信半疑」はよく出る。	折半《せっぱん》　半径　半減　夜半《やはん》	②半
③	指標…判断の基準となる目印。	指針　指図《さしず》　標本　目標　標的	③指標
④	景勝…景色がすぐれていること。	景色　景観　光景　勝負　優勝　圧勝	④景勝
⑤	「結婚式を挙げる、全力を挙げる、手を挙げる、犯人を挙げる」など。	挙手　列挙　大挙《たいきょ》　暴挙　一挙	⑤挙
⑥	「候」は「矢」で上が出ない。「立候補」の出題も多い。	気候　時候　補欠　補習	⑥候補
⑦	観察↔実験	価値観　観衆　観測　察知　視察	⑦観察
⑧	「収拾」との違いに注意(152ページ)。	収める　収支　収縮　詩集　集積	⑧収集
⑨	適切に対処することを「処する、処す」と使う場合もある。	絶対　対価　対談　処す　処方　処理	⑨対処
⑩	「批難」と書いても正解となる。	非課税　非常　非力《ひりき》　災難　難解　無難《ぶなん》	⑩非難(批難)

1回目 ／　2回目 ／　3回目 ／

カンペキ!

書き取り⑪

●――のカタカナを漢字に直しなさい。

□分□秒で暗記完了!

1分間テスト

①	お風呂のクダがつまる。（　　）
②	自分のケンリばかりを主張する。（　　）
③	吹奏楽部にショゾクする。（　　）
④	ドウソウ会に呼ばれる。（　　）
⑤	サッコンの世界情勢。（　　）
⑥	裁判長が判決をセンコクする。（　　）
⑦	土地のソクリョウを行う。（　　）
⑧	ショコクをめぐる旅に出る。（　　）
⑨	学校のソウリツ記念日。（　　）
⑩	スープのフンマツを溶《と》かす。（　　）

暗記リスト

ひと言アドバイス	出題例	解答
四字熟語で「手練手管《てれんてくだ》」の出題がある。	水道管　管理　保管　管弦楽	①管
よく出る対義語：権利↕義務	権限　著作権　主権　利器　鋭利	②権利
出題例の「所作《しょさ》」は、ふるまいや身のこなしのこと。	所作　要所　金属製　従属	③所属
同窓…卒業した学校が同じであること。	賛同　同士　窓際　車窓	④同窓
昨今…このごろ。	今季　今生《こんじょう》	⑤昨今
「告」の出る順は、「報告、宣告、告げる、忠告、警告、告白、申告」。	宣伝　宣言　忠告　警告　報告　告げる	⑥宣告
測量…土地の高さ・面積・位置などを測ること。	器量　推し量る　裁量　肺活量	⑦測量
諸国…いろいろな国々。	諸島　諸君　諸説　国際連盟	⑧諸国
創立…学校や会社などを、はじめて設立すること。	独創　創設　創作　立候補　確立　林立	⑨創立
「末」は1画目が2画目よりも長くなる。	粉雪　受粉　始末　結末　巻末	⑩粉末

1回目　2回目　3回目　カンペキ!

書き取り⑫

●——のカタカナを漢字に直しなさい。

□分□秒で暗記完了！

1分間テスト	暗記リスト	ひと言アドバイス	出題例	解答
① 今後のゼンゴサクを講じる。	（　　）	善後策…問題やトラブルなどをうまく後始末するために取る対策や処理のこと。	善処　善良　背後　放課後　政策　得策	①善後策
② 暴風警報がカイジョされる。	（　　）	「解」は「牛」で上に出る。「除」は「余」で上に出ない。	解散　難解　解体　弁解　除草　掃除《そうじ》	②解除
③ ユソウ手段を探す。	（　　）	「輸」を「輪」と混同しないように注意。	輸血　輸入　輸出　空輸	③輸送
④ ヨウシが整っている。	（　　）	「容」の部首は「宀（うかんむり）」。「姿」の部首は「女（おんな）」。	形容　全容　変容　容認	④容姿
⑤ 道路がコンザツする。	（　　）	「混」の部首は「氵（さんずい＝みず）」、「雑」の部首は「隹（ふるとり）」。	混乱　混迷　混じる　混ぜる　複雑　雑誌	⑤混雑
⑥ 昼食をジサンする。	（　　）	「自参」と書かないように。	支持　持久力　持論　参拝　衆参両院	⑥持参
⑦ 心臓をイショクする。	（　　）	「植」の最後の「L」は1画で書く。	推移　移す　移転　植樹	⑦移植
⑧ 業務カイゼンの一環《いっかん》として。	（　　）	「善」は、「羊」を書いて、「丷、横線、口」の順に書く。	改める　改良　改革　改札　親善　善行	⑧改善
⑨ 紙のサイク。	（　　）	「不《ぶ》細工」の出題もある。	細心　細部　細分　工面　工夫　工程	⑨細工
⑩ シヤが狭《せま》くなる。	（　　）	「視野が開ける」「視野が広い人」などと使う。	軽視　視覚　野生　原野《げんや》　野放図《のほうず》　野次《やじ》	⑩視野

1回目／　2回目／　3回目／　カンペキ！

書き取り⑬

●――のカタカナを漢字に直しなさい。

□分□秒で暗記完了!

1分間テスト　暗記リスト

① 太陽の光が大地をテらす。（　　）
② 事故によりフショウした。（　　）
③ ホケンショウを医者に見せる。（　　）
④ 市がカンリしている公園。（　　）
⑤ 春のケハイが感じられる。（　　）
⑥ 陸上キョウギに参加する。（　　）
⑦ そのやり方ジタイに問題がある。（　　）
⑧ ソンダイな態度をとる。（　　）
⑨ 録画機能をナイゾウしている。（　　）
⑩ ヒニクを言われる。（　　）

ひと言アドバイス

① 「灬（れんが＝れっか）」は、点の向きに注意。
② 「傷《きず》」を「負《お》う」と書いて「負傷」。
③ 「保健」ではないことに注意。
④ 「管理職」の出題もある。
⑤ 「気配」は読みの問題としてもよく出る。
⑥ 「競」↑左右のはねかたに注意。
⑦ 自体…そのもの自身。
⑧ 尊大…いばって、えらそうにする様子。
⑨ 「内臓」と書かないように注意。
⑩ 皮肉…意地の悪いことを、わざと遠回しに言うこと。

出題例

① 対照　日照　参照
② 自負　勝負　負担　傷む　感傷　傷《きず》
③ 確保　保護　険悪　検証　証明
④ 保管　管《くだ》　処理　合理　推理
⑤ 蒸気　勇気　陽気　配属　支配
⑥ 競争　競う　演技　技術　特技
⑦ 自尊心　自覚　自己
⑧ 尊い　尊厳　拡大　大挙　大漁
⑨ 内閣　境内　案内　蔵書　貯蔵
⑩ 皮革《ひかく》　筋肉　肉眼

解答

① 照
② 負傷
③ 保険証
④ 管理
⑤ 気配
⑥ 競技
⑦ 自体
⑧ 尊大
⑨ 内蔵
⑩ 皮肉

1回目　2回目　3回目　カンペキ!

書き取り⑭

●――のカタカナを漢字に直しなさい。

□分□秒で暗記完了！

1分間テスト

① ホケツ選挙が行われる。（　　）
② キケンな場所。（　　）
③ この建物の耐《たい》震ホキョウを行う。（　　）
④ エンガン漁業。（　　）
⑤ 受賞をジタイする。（　　）
⑥ セキニンをもって仕事をする。（　　）
⑦ 顔を洗って目をサます。（　　）
⑧ 風にサカらうようにして進む。（　　）
⑨ ケイカイな足取りで進む。（　　）
⑩ 大学に進んで学問をオサめる。（　　）

暗記リスト

ひと言アドバイス	出題例	解答
「補」は「衤(ころもへん)」。	立候補　補修　不可欠　欠く　欠損	①補欠
「危」の3画目はとめ、5画目ははねる。	危《あや》ぶむ　危急　冒険	②危険
「補」の漢字はよく出題される。「補強」は近年出題が増加。	補給　強制　強要　強引	③補強
沿岸…陸地の海・川・湖に沿った部分。類義語「岸辺」。	沿道　道沿い　護岸《ごがん》　岸辺　彼岸《ひがん》	④沿岸
辞退…勧められたことを遠慮して断ること。「辞」の右側は「辛」。	祝辞　固辞　減退　退治　退院	⑤辞退
「責任を果たす」のようにも使う。	引責　責めを負う　委任　任務　留任	⑥責任
「冷める」と書き間違えないように。	不覚　覚える　感覚　才覚　錯覚　視覚	⑦覚
ほかに「言いつけに逆らう」の出題もある。	逆境　逆転　逆流　逆行　逆上がり	⑧逆
「快」の「忄(りっしんべん)」は「左の点、右の点、縦線」の順で書く。	軽率《けいそつ》　軽視　軽傷　快感　快速　全快	⑨軽快
修める…学んで自分のものにすること。	修復　修理	⑩修

1回目　2回目　3回目　カンペキ！

書き取り⑮

●——のカタカナを漢字に直しなさい。

□分□秒で暗記完了！

1分間テスト

① リサイクル運動のスイシン。（　　）
② 誰《だれ》にでもセイジツに接する。（　　）
③ チョスイチに水鳥が来た。（　　）
④ ニュウシが生えた。（　　）
⑤ 巨《きょ》額の資金をツイやす。（　　）
⑥ ムゾウサに積み重ねてあった。（　　）
⑦ 弟はソッセンして歩き始めた。（　　）
⑧ とうもろこしをユニュウする。（　　）
⑨ 役割をコウタイする。（　　）
⑩ 業績をV字カイフクさせる。（　　）

暗記リスト

	ひと言アドバイス	出題例	解答
①	推進…物事をはかどらせ、前進させること。	推測　推定　推理 進展　進入	推進
②	「誠」の「成」は「丿」から書き始め、最後の点を忘れない。	忠誠　史実　実績 忠実　実効	誠実
③	貯水池…貯水のために人工的につくられた「池」。「地」としないように。	貯金　水源　水準 水道管	貯水池
④	「歯」を使った慣用句「歯に衣《きぬ》着せぬ」「歯が立たない」はよく出る。	乳酸　牛乳　乳液	乳歯
⑤	費やす↕たくわえる	自費　消費　燃費 費用	費
⑥	無造作…注意深さに欠け、おおざっぱにおこなうこと。	無難《ぶなん》　有無　模造 造営　耕作　豊作	無造作
⑦	「率」を「卒」と書かないこと。	率直　能率　比率 先祖　先行　先発	率先
⑧	「輸」を使った「密輸」は書けるようにしておこう。	輸血　密輸 四捨五入　参入	輸入
⑨	「交代」と「交替」はどちらでもマルになる。	交わす　交付　親交 代わる　歴代	交代(交替)
⑩	「回」の出る順は、「回復、回覧、回収、回送、回帰」。セットで覚えよう。	回収　回覧　回帰 往復　復興　復帰	回復

1回目　2回目　3回目　カンペキ！

書き取り⑯

1回目　2回目　3回目　カンペキ!

●——のカタカナを漢字に直しなさい。

□分□秒で暗記完了!

1分間テスト

① 大雨洪《こう》水ケイホウ。（　　）
② 衣服をシュウノウする。（　　）
③ 光と影がオりなす芸術。（　　）
④ 公園でタイソウをする。（　　）
⑤ 沖縄をオトズれる。（　　）
⑥ 犬がアバれる。（　　）
⑦ 歴史的なカイキョを成し遂《と》げた。（　　）
⑧ 一丸となってダンケツする。（　　）
⑨ 古いチソウを調べる。（　　）
⑩ 女王ヘイカが演説を行った。（　　）

暗記リスト

	ひと言アドバイス	出題例	解答
①	「警」は「敬」と「言」を合わせた字。	警笛　警察　警備　報道　報告	警報
②	「収める」「納める」の使い分けは48ページを参照。	吸収　収拾　収集　納得　納税	収納
③	ほかに「機織《はたお》り」「美しい布を織る」の出題もある。	組織　羽織《はおり》　絹織物	織
④	「操」は「思う通りに動かす、あやつる」という意味。	自体　体裁　主体的　操縦　操作　操る	体操
⑤	「訪《たず》ねる」「訪《おとず》れる」の読み方に注意。	訪ねる　歴訪	訪
⑥	「暴」の「氺」を「水」と書かない。	乱暴　横暴　暴く　暴走	暴
⑦	「快」の6画目は上に突き出る。確認しよう。	快活　快晴　快方　大挙　列挙　挙手	快挙
⑧	「一致《いっち》団結」の四字熟語も覚えておこう。	大団円　結論　終結	団結
⑨	「層」は画数が多いため、正確に書けるようにしよう。	局地　意地悪　高層　一層	地層
⑩	陛下…天皇・皇后・国王などを敬った言い方。「陛」は「陛下」の出題のみなので確実に覚えよう。	眼下　無下《むげ》　投下　門下	陛下

書き取り⑰

●——のカタカナを漢字に直しなさい。

□分□秒で暗記完了!

1分間テスト　暗記リスト

問題	ひと言アドバイス	出題例	解答
① 人にカンシャする気持ち。（　　）	「感謝状、感謝祭」もセットで書けるようにしよう。	感受　痛感　快感 / 感覚　謝礼　謝罪	①感謝
② 深くコキュウをした。（　　）	「呼」は最後にはねる。	呼応　呼ぶ　連呼 / 吸引	②呼吸
③ 国をオサめる。（　　）	「納める、修める、収める」との違い(48ページ)。「痛みが治まる」での出題もあり。	退治　完治　政治 / 治安　湯治《とうじ》　統治	③治
④ 社長のキョシュウが注目される。（　　）	去就…去ることと、とどまること。類義語「出処進退《しゅっしょしんたい》」(「出所」は誤り)。	除去　消去　就任 / 就職　就航　就く	④去就
⑤ ケンアクな雰囲気《ふんいき》。（　　）	「阝(こざとへん)」は3画で書く。「嫌悪《けんお》」と混同しない。	険しい　保険　冒険 / 意地悪　善悪	⑤険悪
⑥ 失敗しても仲間をセめない。（　　）	「責めを負う」としての出題もある。	責務　引責　職責	⑥責
⑦ 相手を見て法をトく。（　　）	説く…よくわかるように話して聞かせること。	演説　仮説　諸説 / 通説　伝説	⑦説
⑧ まるでユメのようだ。（　　）	「夢」の部首は「夕」。	初夢	⑧夢
⑨ 生地をサイダンする。（　　）	訓読みの「裁《た》つ」「断《ことわ》る」もよく出る。	制裁　総裁　裁量 / 断る　断言　判断	⑨裁断
⑩ 国が安全をホショウする。（　　）	「保障」は安全や権利を保護し、守ること。「保証」は品質や性能について約束し、責任を持つこと。	確保　保守　障子《じ》 / 差し障る	⑩保障

1回目 ／　2回目 ／　3回目 ／　カンペキ!

書き取り⑱

1回目　2回目　3回目　カンペキ!

● ——のカタカナを漢字に直しなさい。

□分□秒で暗記完了!

1分間テスト

① ヘンキョウの地へ行く。（　　）
② 地球オンダン化を防ぐ。（　　）
③ 大地震のゼンチョウ。（　　）
④ 視線をソソぐ。（　　）
⑤ ヨケイなことを聞いてしまう。（　　）
⑥ ルスバン電話。（　　）
⑦ ケッコウつらい作業だった。（　　）
⑧ 大事な用件を心にトめる。（　　）
⑨ 電車のウンチンを払う。（　　）
⑩ ケンキュウ者が集まる。（　　）

暗記リスト

	ひと言アドバイス	出題例	解答
①	辺境…中央から遠く離れた地域のこと。	岸辺　辺り　近辺 秘境　心境　境地	辺境
②	温暖↔寒冷	温泉　温存　寒暖 暖冬	温暖
③	「兆」の筆順は「丿、左上、左下、縦からまげてはね、右上、右下」。	眼前　最前　寸前 前提　兆候　予兆	前兆
④	「コーヒーを注ぐ」のようにも使う。	注射　注視	注
⑤	「余」では慣用句「手に余る」「目に余る」の出題もある。	余分　余る　余談 余波　早計　計る	余計
⑥	「居《い》留守」としての出題もある。	留任　保留　守秘 守備　順番	留守番
⑦	「構」と「講」を区別しよう。	結論　結集　直結 構う　構図　構造	結構
⑧	ほかに、動かなくするという意味で「ボタンを留める」などと使う。	停留所　留学　蒸留	留
⑨	「賃」…お金に関する漢字で「貝」が付くと覚えよう。	命運　運転　家賃 賃金　賃貸	運賃
⑩	「究」の「九」は「丿」から書き始める。	研ぐ　探究　究明	研究

書き取り⑲

● ――のカタカナを漢字に直しなさい。

□分□秒で暗記完了!

1回目 2回目 3回目 カンペキ!

	1分間テスト	暗記リスト
①	春の訪れをツげる。	（　）
②	最後に勝利をオサめる。	（　）
③	富士山のトウチョウに成功した。	（　）
④	負傷した選手がフッキする。	（　）
⑤	失敗のヨウインを考える。	（　）
⑥	安全ソウチが作動する。	（　）
⑦	力の差はレキゼンとしている。	（　）
⑧	昨夏はサイガイ級の暑さだった。	（　）
⑨	劇場のマクが上がる。	（　）
⑩	音がよくキョウメイする。	（　）

	ひと言アドバイス	出題例	解答
①	告げる…伝える。	警告　告示　告知	告
②	ほかに「成功を収める」「遺物を博物館に収める」の出題もある。	収納　回収　収支	収
③	「登」の部首は「癶（はつがしら）」。「頂」の部首は「頁（おおがい）」。	登録　登る　真骨頂　絶頂　有頂天	登頂
④	「復」は「ぎょうにんべん」であることに注意。	復旧　復活　修復　帰宅　回帰　帰属	復帰
⑤	要因…物事が起こる原因や理由の中でも、特に重要なもの。	要領　所要時間　因果　起因	要因
⑥	「装」は、「衣装《いしょう》・装《よそお》う」の読み方もチェック。	服装　衣装　仮装　装う　処置　設置	装置
⑦	歴然…非常にはっきりしている様子。	歴訪　歴代　雑然　整然　未然	歴然
⑧	「災」は訓読みで「災《わざわ》い」と読む。	災難　障害　損害　危害	災害
⑨	「幕」単体ではなく「幕開け」「黒幕」「横断幕」「字幕」などの出題もある。	除幕　暗幕　幕府　幕末	幕
⑩	「全員が深く共鳴する」のように他人の考えや意見に同感する場合にも使う。	共働き　鳴く　悲鳴	共鳴

書き取り⑳

●――のカタカナを漢字に直しなさい。

□分□秒で暗記完了!

1分間テスト / 暗記リスト

① チョメイな作家の作品を読む。（　　）
② 筆者のイトがあいまいな文章。（　　）
③ 物事のインガ関係。（　　）
④ オウボウな行為。（　　）
⑤ 合格をオンシに報告した。（　　）
⑥ 先生のキョカを得る。（　　）
⑦ ゲイジュツの秋。（　　）
⑧ ハゲしい口調で責められる。（　　）
⑨ 相手の強さにコウサンする。（　　）
⑩ 今年はダントウだ。（　　）

ひと言アドバイス	出題例	解答
「署名《しょめい》」と書き間違えないように。	名案　けがの功名《こうみょう》	①著名
類義語「思わく、意向」。	意外　意義　構図 縮図　野放図《のほうず》　図る	②意図
因果…原因と結果。「因果応報」もよく出る四字熟語。	原因　効果　成果	③因果
横暴…自分勝手で乱暴なこと。	縦横　横着　乱暴 暴れる　暴く	④横暴
恩師…教えを受け、世話になった先生。	謝恩　恩人　恩義 漁師　師弟	⑤恩師
「可」は最後にはねることを忘れずに。	免許　不可欠　可否 可燃	⑥許可
「術」の部首は「行(ぎょうがまえ＝ゆきがまえ)」。ホの右上の点を忘れない。	一芸　技芸　美術	⑦芸術
「激」の総画数は16画。	急激　感激　激減 激流	⑧激
「降参」と同じ意味の慣用句は「白旗《しらはた》をあげる」。	降る　下降線　参拝	⑨降参
暖冬…いつもの年より暖かい冬。	寒暖　暖かい　温暖 冬至　立冬	⑩暖冬

1回目　2回目　3回目　カンペキ!

書き取り㉑

● ——のカタカナを漢字に直しなさい。

□分□秒で暗記完了！

1分間テスト

暗記リスト

① 長い間の努力がトロウに終わる。（　　）
② レイセイに考える。（　　）
③ ひっそりとクらしている。（　　）
④ 子犬のかわいいシグサ。（　　）
⑤ 問題用紙をスる。（　　）
⑥ 同じドヒョウで戦う。（　　）
⑦ 生きるためにフカケツな栄養。（　　）
⑧ ホネ付きカルビ。（　　）
⑨ 旅先でユウランセンに乗った。（　　）
⑩ 水がイキオいよく流れ出す。（　　）

ひと言アドバイス	出題例	解答
徒労…むだな苦労。	徒党　徒競走　苦労	①徒労
冷静…感情に左右されず、落ち着いていること。	寒冷地　静観　静養	②冷静
「暮」を使った四字熟語「朝三暮四」はよく出る。	暮れる	③暮
仕草（仕種）…からだの動かし方。動作や身ぶり。	仕える　雑草　除草　草案	④仕草（仕種）
部首は「刂（りっとう）」。「刃物、切る」に関する字に使われる。	刷新　印刷	⑤刷
土俵…相撲《すもう》をとる場所。議論や交渉がおこなわれる場所。	土砂　風土　米俵	⑥土俵
「可」は「横線、口、縦線」の順に書いて最後ははねる。	不足　許可　可否　欠く　欠航	⑦不可欠
「骨」は慣用句や四字熟語でもよく出る。必ず書けるようにしておこう。	骨組み　骨身に染みる　真骨頂	⑧骨
遊覧船…ある場所を見物してまわる船のこと。	展覧　観覧車　博覧	⑨遊覧船
「破竹《はちく》の勢い」…物事の勢いがはげしいさまもよく出る。	姿勢　体勢　態勢	⑩勢

1回目　2回目　3回目　カンペキ！

書き取り㉒

● ――のカタカナを漢字に直しなさい。

□分□秒で暗記完了！

1分間テスト

① 核兵器のカクサンを防ぐ。（　　）
② 場所をカクホする。（　　）
③ 雨がフる。（　　）
④ ジタイが急変する。（　　）
⑤ 話がチョウフクする。（　　）
⑥ ムズカしそうな本。（　　）
⑦ ハイゴから声をかける。（　　）
⑧ アタタかいもてなしを受ける。（　　）
⑨ けがのショチをする。（　　）
⑩ 新しく美術館をケンチクする。（　　）

暗記リスト

ひと言アドバイス	出題例	解答
拡散…広く散らばること。	拡張　拡声　拡大　散策　散る　散布	① 拡散
「確」を使った「確かめる」は送りがなに注意する。	確認　確率　保険	② 確保
ことわざ「雨降って地《じ》固まる」の出題もある。	降車　降臨	③ 降
事態…物事のなりゆき。	事情　故事　状態　態度　生態	④ 事態
重複…同じ物事が重なること。	貴重　幾重《いくえ》　複写　複製　複雑	⑤ 重複
「難しい」の送りがなに注意。対義語は「易しい」。	困難　非難　災難　難易　難解　無難	⑥ 難
「背」↑とめる（はらわない）。	背筋　背広《せびろ》　善後策　放課後	⑦ 背後
「温かい」はおもに温度について、「暖かい」は気温や気候についてのことを言う。	温泉　温存	⑧ 温
ほかに「適切な処置（物事をどうあつかうかを決める）」の出題もある。	対処　善処　処理　装置　設置	⑨ 処置
「建」の部首「廴（えんにょう）」は3画で書く。	建設　建前《たてまえ》　構築　築く　改築	⑩ 建築

1回目　2回目　3回目　カンペキ！

ランクB　書き取り　慣用句・ことわざ　四字熟語　同音・同訓異字　読み　対義語・類義語　チェック問題

書き取り㉓

●——のカタカナを漢字に直しなさい。

□分□秒で暗記完了!

1分間テスト　暗記リスト

① 違うというゼンテイで考える。（　　）
② 名画をフクセイする。（　　）
③ 中国からのカンコウキャク。（　　）
④ アジア各国をレキホウする。（　　）
⑤ エイヨウカの高い食品。（　　）
⑥ シュウセイエキで直す。（　　）
⑦ 平和をハタジルシとする。（　　）
⑧ テンコウにめぐまれる。（　　）
⑨ 散歩をニッカとする。（　　）
⑩ 考え方もカチカンも違う。（　　）

ひと言アドバイス

① 「提」を使った「提灯《ちょうちん》」は読めるようにしておこう。
② 複製…原本やオリジナルのものを真似て作ること。
③ 「海外からの観光客」の意味で「インバウンド」という言葉も使われるので覚えておこう。
④ 歴訪…つぎつぎに訪れること。
⑤ 「栄」の最初の3画は「⺍」の向きに書く。
⑥ 「修正」では「修正予算」「軌《き》道修正」という言い方もある。
⑦ 「旗色《はたいろ》…勝負のなりゆき」としての出題もある。
⑧ 「候」は「居候《いそうろう》（よその家に住んで世話になっている人）」とも読む。
⑨ 日課…毎日するように決めていること。
⑩ 「価値感」ではないので注意。

出題例

① 前兆　寸前　提唱　提起　提案
② 複写　複数　製造　精製
③ 観覧　観衆　拝観　陽光　客間
④ 学歴　歴代　訪問　訪ねる　訪れる
⑤ 栄誉《えいよ》　光栄　栄える　養成　安価　価値
⑥ 修復　修理　改正　公正　だ液　液状
⑦ 白旗　国旗　印象　印刷　消印《けしいん》
⑧ 天守閣　有頂天　候補　気候　兆候
⑨ 翌日　日誌　日程　課税　放課後
⑩ 評価　数値　値段　観察

解答

①前提　②複製　③観光客　④歴訪　⑤栄養価　⑥修正液　⑦旗印　⑧天候　⑨日課　⑩価値観

1回目　2回目　3回目　カンペキ!

書き取り㉔

●――のカタカナを漢字に直しなさい。

□分□秒で暗記完了！

1分間テスト

① 船から岬《みさき》のトウダイが見える。（　　）
② キテンがきく青年。（　　）
③ サイフからお金を出す。（　　）
④ 心からシャザイする。（　　）
⑤ こういう職業にツきたい。（　　）
⑥ 新型客船がシュウコウする。（　　）
⑦ ジュウライのやり方をふまえる。（　　）
⑧ 十分にタッセイされなかった。（　　）
⑨ 小学生の計算能力のチョウサ。（　　）
⑩ 顔をソムける。（　　）

暗記リスト

ひと言アドバイス	出題例	解答
「灯台もと暗し」としても使われる。	灯油　台頭	①灯台
機転(気転)…とっさに心や知恵がはたらくこと。	機械　機能　転機 逆転　転居	②機転(気転)
お金に関する言葉＝「貝」が付くことから思い出そう。	財源　財産　私財 散布　布教　公布	③財布
「罪」の「非」の部分の筆順注意。「縦にはらい、左の横3本、縦線、右の横3本」の順に書く。	謝る　謝礼　謝辞 犯罪　罪悪感	④謝罪
「就」の右側は、しっかりはねる。	就職　去就	⑤就
就航…船や飛行機が、はじめて航海したり飛んだりすること。	就任　航海　航空券 航路	⑥就航
従来…以前から今まで。	従う　従事　従業員 従属　往来　由来	⑦従来
「達」を書くとき、「土」の下は横棒が3本の「羊」であることに注意。	発達　熟達　配達 成績　賛成　集大成	⑧達成
「査」は「調査」や「検査」などのように、くわしく調べることを意味する。	口調　調節　調停 探査　検査　査定	⑨調査
「背く」「上背《うわぜい》＝身長のこと」は読みの問題でも出るので覚えておこう。	背景　背後　背反 背筋　背広《せびろ》	⑩背

1回目／　2回目／　3回目／　カンペキ！

書き取り㉕

● ――のカタカナを漢字に直しなさい。

□分□秒で暗記完了!

1分間テスト

① 電源のフッキュウ作業を行う。（　　　）
② 周りを警察にホウイされる。（　　　）
③ 犬は鼻がよくキく。（　　　）
④ 兄はオンコウな性格だ。（　　　）
⑤ コンナンに直面する。（　　　）
⑥ 会長にシュウニンする。（　　　）
⑦ 不注意にキインする事故。（　　　）
⑧ コンテイから脅《おびや》かされる。（　　　）
⑨ 文化のサイテン。（　　　）
⑩ 水が水《すい》ジョウキになる。（　　　）

暗記リスト

	ひと言アドバイス	出題例	解答
①	復旧…こわれたものを元通りにすること。	復興　回復　復帰　復唱　旧知　旧友	復旧
②	「包」は2画目と5画目ははねる。	包装　包帯　包む　囲む　周囲　胸囲	包囲
③	「効く」との違いに注意。「利く」の使用例は「顔が利く」「利き腕《うで》」などがある。	権利　利器　便利　利己　利発	利
④	温厚…人柄が穏やかで温かみのあること。	厚手《あつで》　厚み　重厚　濃厚	温厚
⑤	「難」は「難しい」「難なく」など、さまざまなかたちで出題される。困難↔容易	貧困　至難　難局	困難
⑥	「就」の右側は、しっかりはねる。	任務　放任　留任	就任
⑦	起因…何かが起こる直接の原因。	奮起　起工　起用　再起　遠因　敗因	起因
⑧	「根」には「精根つきる」「根に持つ」の出題もある。	根幹　根源　底《そこ》　海底	根底
⑨	「典」を使った「香典(こうでん)」も書けるようにしておこう。	祝祭　祭礼　祭り　典型　辞典　特典	祭典
⑩	「蒸」の総画数は13画。「艹(くさかんむり)」のあとに書く「了」は2画で。	蒸発　蒸す　気絶　気配《けはい》	蒸気

1回目 ／　2回目 ／　3回目 ／

カンペキ!

書き取り㉖

1回目 ／　2回目 ／　3回目 ／　カンペキ!

●——のカタカナを漢字に直しなさい。

□分□秒で暗記完了!

1分間テスト	暗記リスト	ひと言アドバイス	出題例	解答
① 線をスイチョクに引く。	（　　）	垂直↕水平	垂れる　直筆　直視　率直	①垂直
② キカイ体操の練習をする。	（　　）	器械体操…鉄棒・とび箱・平均台などの器具を使う体操。	器官　器用　臓器　機械	②器械
③ 部屋に紙がサンランしている。	（　　）	「散」は「散る・散らかる」の出題もある。	散る　解散　散布　混乱　乱れる	③散乱
④ 大声でショウワする。	（　　）	唱和…一人の声に合わせて、大勢が一斉に同じことを唱えること。	唱える　合唱　提唱　暗唱　唱歌　日和《ひより》	④唱和
⑤ 創立者のドウゾウ。	（　　）	「像」を使った読みの問題に「胸像《きょうぞう》、肖像《しょうぞう》画《が》」の出題もある。	銅貨　想像　映像	⑤銅像
⑥ ネンリョウを補給する。	（　　）	「燃料、燃焼、燃費」をセットで覚えてしまおう。	燃焼　燃費　肥料　資料	⑥燃料
⑦ フクシンの友。	（　　）	腹心…心から信頼していること。	中腹　腹案　自尊心　心得《こころえ》　童心　用心	⑦腹心
⑧ フロントガラスがワれる。	（　　）	「割」は「割《さ》く」「分割」「割愛」の3つを書けるようにしておこう。	割く　分割　割愛	⑧割
⑨ カガミに映った顔を見る。	（　　）	「虫眼鏡《むしめがね》」も書けるようにしよう。	眼鏡　望遠鏡	⑨鏡
⑩ ジッサイにこの目で見る。	（　　）	「際」の4~7画目は「夕」ではなく「タ」。	確実　忠実　口実　際限　窓際　国際	⑩実際

書き取り㉗

● ――のカタカナを漢字に直しなさい。

□分□秒で暗記完了!

1分間テスト　暗記リスト

① ランボウな言葉づかい。（　　）
② ガイロジュが紅葉する。（　　）
③ 避《ひ》難者へのキュウサイ策。（　　）
④ 通行をユルす。（　　）
⑤ 医師のシカクを取る。（　　）
⑥ 夕食のジュンビを済ませる。（　　）
⑦ 入学のジョウケンを満たす。（　　）
⑧ リーダーのセキムを果たす。（　　）
⑨ ソウゾウしたとおりの結果。（　　）
⑩ 地震によるソンガイ。（　　）

ひと言アドバイス	出題例	解答
「乱」には四字熟語「一心不乱」の出題もある。	乱雑　横暴　暴れる　暴挙　暴風	①乱暴
「街・衛」の部首は「行(ぎょうがまえ＝ゆきがまえ)」。	市街地　航路　回路　樹立	②街路樹
救済…困っている人を救い助けること。類義語「救援《えん》」の出題もある。	救護　救助　経済　返済	③救済
右側の「午」は上に出ないように気をつけよう。	特許　許容	④許
「資」の部首「貝(かい)」の字はお金に関する字が多い(財、貨、貧、貸、買など)。	資源　投資　規格　骨格　格段　体格	⑤資格
類義語「備え」。	標準　照準　準優勝　警備　予備　常備	⑥準備
「条」を使った四字熟語「金科玉条《きんかぎょくじょう》」の出題もある。	条約　条例　信条　案件　要件	⑦条件
「務」の「矛」を「予」と書かないように。	責任　義務　勤務　事務所　任務	⑧責務
ほかに「想像を絶する、想像上の、想像力」などと使う。	思想　発想　無愛想　映像　画像　現像	⑨想像
損害…金銭的または物質的な被害。類義語「損失」。	損なう　損傷　損得　障害　被害	⑩損害

1回目　2回目　3回目　カンペキ!

書き取り㉘

●——のカタカナを漢字に直しなさい。

□分□秒で暗記完了!

	1分間テスト	暗記リスト	ひと言アドバイス	出題例	解答
①	選挙のトウヒョウに行く。	（　）	「投」を使った四字熟語「意気投合」はよく出る。	投資　開票　伝票　得票	投票
②	完全ネンショウさせる。	（　）	燃焼…ほのおをあげて燃えること。また、力の限りを出しつくすこと。	可燃　再燃　燃費　燃料　焼く　夕焼け	燃焼
③	ペンをハイシャクいたします。	（　）	拝借…「借りること」のへりくだった言い方。	拝む　拝読　借財　貸借《たいしゃく》	拝借
④	ナミキ道を散歩する。	（　）	「木」を使った慣用句「木で鼻をくくる」はよく出る。	並べる　並列　木製　木綿《もめん》　雑木林	並木
⑤	コメダワラをかつぐ。	（　）	「米」の筆順は「左、右、横線、縦線、左下、右下」と書く。	土俵	米俵
⑥	身をソらしてボールをよける。	（　）	「反りが合わない…互いの性格や考え方が合わない」としての出題もある。	反射　反旗　反骨　反問　反論	反
⑦	相手のイコウを聞く。	（　）	意向…どのようにするかという考えや気持ち。	故意　不意　傾向　志向　転向　向学心	意向
⑧	文集のカントウを飾る文章。	（　）	巻頭↕巻末	巻く　圧巻　頭角　音頭《おんど》　路頭	巻頭
⑨	工場に精密キカイを導入する。	（　）	「器械」との違いをチェック(83ページ)。	危機　動機　機嫌《きげん》　機知　機転	機械
⑩	彼《かれ》はシュウシ無言だった。	（　）	終始…始めから終わりまで。「終始《しゅうし》一貫《いっかん》」としての出題もある。	終日　原始　創始　始動　始まる	終始

1回目　2回目　3回目　カンペキ!

ランクB　書き取り　慣用句・ことわざ　四字熟語　同音・同訓異字　読み　対義語・類義語　チェック問題

★ランクB★
受験生必須の520問

書き取り㉙

● ——のカタカナを漢字に直しなさい。

□分□秒で暗記完了!

1分間テスト

① 速《すみ》やかにゼンショする。（　　）
② 彼《かれ》の勉強方法はドクトクだ。（　　）
③ 間違いをミトめる。（　　）
④ ヒキョウを訪ねる。（　　）
⑤ 機知にトむ。（　　）
⑥ 服装のミダれを正す。（　　）
⑦ 家から近く、コウツゴウだ。（　　）
⑧ シュクガカイに参加する。（　　）
⑨ 交通キセイをする。（　　）
⑩ ケイサツに通報する。（　　）

暗記リスト

ひと言アドバイス	出題例	解答
善処…うまく処理すること。「善は急げ」の出題もある。	善良　最善　善意　善人　処方　処理	①善処
類義語「ユニーク」。	独占　独創　独奏　独自　特技　特許	②独特
確認の印として使う略式のはんこを「認め印」と言う。	承認　認識　確認　誤認　認定　容認	③認
秘境…人間がほとんど行ったことのない場所。	神秘　守秘　秘蔵　心境　逆境　順境	④秘境
機知…その場に応じて、とっさに働く知恵。ウイット。	豊富　貧富	⑤富
四字熟語「一心不乱」も覚えよう。	乱暴　混乱　散乱	⑥乱
好都合↔不都合	愛好　好機　都度　合戦《かっせん》　混合　配合	⑦好都合
祝賀会…喜び祝う会。	祝辞　祝祭　展覧会　再会	⑧祝賀会
「帰省」の出題もあるので区別しておこう。	規模　規定　不規則　管制　制服　強制	⑨規制
「警察官、警察署」としても書けるようにしておこう。	警視庁　査察　察知　視察	⑩警察

1回目　2回目　3回目　カンペキ!

書き取り㉚

1回目 ／　2回目 ／　3回目 ／　カンペキ!

● ——のカタカナを漢字に直しなさい。

□分□秒で暗記完了!

1分間テスト

① 事実かどうかのケンショウ。（　　）
② イシツブツをあずかる。（　　）
③ アンジにかかる。（　　）
④ ベランダでふとんをホす。（　　）
⑤ 勝利をカクシンする。（　　）
⑥ 説明にナットクする。（　　）
⑦ 厳しいクンレンを重ねる。（　　）
⑧ 心をすりへらす。（　　）
⑨ 計画をサッシンする。（　　）
⑩ 人口は一億人とスイテイされる。（　　）

暗記リスト

	ひと言アドバイス	出題例	解答
①	検証…実際に調べて事実を明らかにすること。	検挙　検知　証《あかし》 確証　証書	検証
②	遺失物…落とし物、忘れ物。 遺失↕拾得《しゅうとく》	遺産　遺伝　遺品 過失　失調　失礼	遺失物
③	暗示…それとなく知らせること。 暗示↕明示	明暗　暗雲　暗記 展示　提示　指示	暗示
④	読みの問題で「干害《かんがい》」「干渉《かんしょう》」「若干《じゃっかん》」「干《ひ》からびる」の出題がある。	干潮　干渉	干
⑤	確信↕疑念	確保　確率　確実 交信　信条　信念	確信
⑥	「得」の右側「日」の下は、横線を書いて「寸」。横線が2本になる。	出納《すいとう》　収納　心得《こころえ》 得手《えて》　会得《えとく》　取得	納得
⑦	「訓」は「教えさとす」という意味がある。 「家訓、教訓、校訓」など。	特訓　教訓　練る 練習　老練	訓練
⑧	「域」や「成」との違いを区別しよう。	減少　減退　加減 激減　増減　半減	減
⑨	刷新…まったく新しいものにすること。	印刷　新調　革新 更新　新幹線　新装	刷新
⑩	「推」の「隹(ふるとり)」は、点の向きに注意。	推量　推察　案の定《じょう》 定規《じょうぎ》	推定

慣用句・ことわざ①

●□にあてはまる漢字を答えなさい。

□分□秒で暗記完了!

1分間テスト

① □ある鷹《たか》は爪《つめ》を隠《かく》す。（　　）
② □天の霹靂《へきれき》。（　　）
③ 先生の説明に□をひねった。（　　）
④ □を決して、辞退を申し入れた。（　　）
⑤ 人間の能力では手に□る問題だ。（　　）
⑥ □□は一見にしかず。（　　）
⑦ 試合に負け、□《カタ》を落とした。（　　）
⑧ □つ子の魂《たましい》百まで。（　　）
⑨ 三人寄れば文殊《もんじゅ》の□□。（　　）
⑩ その程度じゃ焼け□に水だよ。（　　）

暗記リスト

ひと言アドバイス

能《のう》ある鷹《たか》は爪《つめ》を隠《かく》す…本当に実力のある人は、能力を見せびらかすことはしない。

青天《せいてん》の霹靂《へきれき》…青空なのに突然かみなりが鳴るような、思いもかけない出来事。

首《くび》をひねる…納得できずに考える。腑《ふ》に落ちない。

意《い》を決《けっ》する…心に決める。決心する。類義語「腹を決める」。

手《て》に余《あま》る…自分の能力を超えていてどうすることもできない。類義語「手に負えない」。

百聞《ひゃくぶん》は一見《いっけん》にしかず…何度聞くよりも、一度実際に見るほうがよくわかる。

肩《かた》を落《お》とす…がっかりする。

三《み》つ子《ご》の魂百《たましいひゃく》まで…幼い頃の性質は年をとっても変わらない。「三つ子」とは「三歳の子供」の意味。

三人寄《さんにんよ》れば文殊《もんじゅ》の知恵《ちえ》…三人集まって相談すれば、文殊菩薩《もんじゅぼさつ》ほどのいい知恵が出る。

焼《や》け石《いし》に水《みず》…少しばかりの努力や助けでは効き目がない。

解答

①能　②青　③首　④意　⑤余　⑥百聞　⑦肩　⑧三　⑨知恵　⑩石

1回目　2回目　3回目

カンペキ!

慣用句・ことわざ②

1分間テスト

● □にあてはまる漢字を答えなさい。

□分□秒で暗記完了!

① 社長の□の一声で決定した。（　　）
② □から火が出るほどはずかしい。（　　）
③ □に衣着せぬ言い方。（　　）
④ 誠実な父は□が堅《かた》い。（　　）
⑤ □□を報いるという心意気。（　　）
⑥ 理解できず□をかしげた。（　　）
⑦ 失敗をわびて、□を下げる。（　　）
⑧ □水の陣《じん》で勉強に取り組む。（　　）
⑨ □であしらうような態度で聞く。（　　）
⑩ □□にいとまがない。（　　）

暗記リスト

ひと言アドバイス

鶴《つる》の一声《ひとこえ》…権力のある人のひとこと。「鶴」を書かせる問題は少ないが書けるようにしておこう。

顔《かお》から火《ひ》が出《で》る…はずかしくて顔が真っ赤になる。とても怒っていることのたとえではないことに注意。

歯《は》に衣着《きぬき》せぬ…遠慮せずに思っていることを言う。

口《くち》が堅《かた》い…秘密などを決してしゃべらない。口が堅い↕口が軽いほかに「口が重い…あまりしゃべらない」の出題もある。

一矢《いっし》を報《むく》いる…やられてばかりいないで、少しはやりかえす。

首《くび》をかしげる(小首をかしげる)…少し首を傾《かたむ》けて考える。また、疑問に思う。

頭《あたま》を下《さ》げる…謝罪や感謝の意を表すために、頭を下げること。

背水《はいすい》の陣《じん》…退路を断ち、全力で事に当たること。

鼻《はな》であしらう…相手を見下したり、軽んじたりして、冷淡《たん》な態度を取ること。

枚挙《まいきょ》にいとまがない…いちいち数え上げることができないほど多い。

解答

①鶴 ②顔 ③歯 ④口 ⑤一矢 ⑥首 ⑦頭 ⑧背 ⑨鼻 ⑩枚挙

1回目 ／ 2回目 ／ 3回目 ／ カンペキ!

ランクB
書き取り
慣用句・ことわざ
四字熟語
同音・同訓異字
読み
対義語・類義語
チェック問題

慣用句・ことわざ③

● □にあてはまる漢字を答えなさい。

□分□秒で暗記完了!

1分間テスト

① その人とは□の他人です。 （　　）
② 飛んで火に入る□の虫。 （　　）
③ □子にも衣装。 （　　）
④ かっぱの□流れ。 （　　）
⑤ □に短し たすきに長し。 （　　）
⑥ □を打ったような静けさ。 （　　）
⑦ □を見張るほどの美しさ。 （　　）
⑧ 彼《かれ》の失敗を□□の石とする。 （　　）
⑨ 木で□をくくったような態度。 （　　）
⑩ □に腹はかえられぬ。 （　　）

暗記リスト

ひと言アドバイス

赤《あか》の他人《たにん》…まったくの他人。

飛《と》んで火《ひ》に入《い》る夏《なつ》の虫《むし》…何も知らないで、自分から危ないところに飛びこんでくること。

馬子《まご》にも衣装《いしょう》…誰でも立派な服装をすれば、見違えるほど立派に見えるということ。

かっぱの川《かわ》流《なが》れ…達人も、ときには失敗することもある。類義語「猿《さる》も木から落ちる」「弘法《こうぼう》にも筆の誤り」。

帯《おび》に短《みじか》し たすきに長《なが》し…中途半端で役に立たない。

水《みず》を打《う》ったよう…しんと静まり返っている。

目《め》を見張《みは》る…驚いたり感心したりして目を大きく開ける。

他山《たざん》の石《いし》…参考にすべきよそのよくない出来事。類義語「反面教師」。

木《き》で鼻《はな》をくくる…無愛想でそっけない態度。

背《せ》に腹《はら》はかえられぬ…さしせまった大切なことのためには、少しぐらいのぎせいは仕方ない。

解答

①赤　②夏　③馬　④川　⑤帯　⑥水　⑦目　⑧他山　⑨鼻　⑩背

1回目／　2回目／　3回目／　カンペキ!

慣用句・ことわざ④

1回目
2回目
3回目
カンペキ!

● □にあてはまる漢字を答えなさい。

□分□秒で暗記完了!

1分間テスト

① 上司の□をぬすんで休憩《けい》した。（　　）
② □は□いの元。（　　）
③ 負けている人の□を持つ。（　　）
④ 親の□光り。（　　）
⑤ 彼《かれ》の自慢《まん》話が□についてきた。（　　）
⑥ 口□を切って発言する。（　　）
⑦ 今さら、□がいい話だ。（　　）
⑧ 彼《かれ》の努力には□が下がる。（　　）
⑨ □を聞いて□を知る。（　　、　　）
⑩ □十歩□歩。（　　、　　）

暗記リスト

ひと言アドバイス

目《め》をぬすむ…人に見つからないように、隠れて何かをすること。

口《くち》は災《わざわ》いの元《もと》…うっかり言った言葉から災いを招くことがある。

肩《かた》を持《も》つ…味方をする。ひいきにする。

親《おや》の七光《ななひか》り…親の地位や評判のおかげで、子供が得をしたり出世したりすること。

鼻《はな》につく…あきあきしていやになる。

口火《くちび》を切《き》る…いちばん先に始めて、きっかけをつくる。

虫《むし》がいい…自分勝手で、ずうずうしい。

頭《あたま》が下《さ》がる…心から感心して尊敬する気持ちになる。

一《いち》を聞《き》いて十《じゅう》を知《し》る…物事の一部分、ほんの少し聞いただけで、全体を理解できること。

五十歩《ごじっぽ》百歩《ひゃっぽ》…どちらも大差ないこと。類義語「どんぐりの背比べ」。

解答

①目
②災
③肩
④七
⑤鼻
⑥火
⑦虫
⑧頭
⑨一、十
⑩五、百

慣用句・ことわざ⑤

1回目 ／　2回目 ／　3回目 ／　カンペキ！

●□にあてはまる漢字を答えなさい。

□分□秒で暗記完了！

1分間テスト

① 妙《みょう》な感想を□にする。（　　）
② □の手も借りたい。（　　）
③ □をつかむような話だ。（　　）
④ 説明するのに□を折った。（　　）
⑤ □心あれば□心。（　　、　　）
⑥ 難問に□を抱えた。（　　）
⑦ 手に□を握《にぎ》る接戦。（　　）
⑧ 人の噂《うわさ》も□□□日。（　　）
⑨ □を酸っぱくして注意する。（　　）
⑩ 説明を聞いて□点がいった。（　　）

暗記リスト

ひと言アドバイス

口《くち》にする…言葉を発すること。また、食べ物や飲み物を口に入れて食べる、飲むときにも使う。

猫《ねこ》の手《て》も借《か》りたい…非常に忙しくて人手が足りない状態。

雲《くも》をつかむ…事情がぼんやりしていて、とらえどころがない。

骨《ほね》を折《お》る…力をつくす。苦労して人のために働く。

魚心《うおごころ》あれば水心《みずごころ》(あり)…相手が好意を示せば、こちらも好意を返す。相手の出かたしだい。

頭《あたま》を抱《かか》える…どうしたらよいかわからず、困り果てる。

手《て》に汗《あせ》を握《にぎ》る…見たり聞いたりしながら、興奮したり緊張したりする。

人《ひと》の噂《うわさ》も七十五日《しちじゅうごにち》…人の評判やかげ口などは、長く続かない。

口《くち》を酸《す》っぱくする…同じことをいやになるほどくり返して言う。

合点《がてん》がいく…納得できる。類義語「腹に落ちる」。

解答

① 口　② 猫　③ 雲　④ 骨　⑤ 魚、水　⑥ 頭　⑦ 汗　⑧ 七十五　⑨ 口　⑩ 合

慣用句・ことわざ⑥

1回目 ／
2回目 ／
3回目 ／
カンペキ！

● □にあてはまる漢字を答えなさい。

□分□秒で暗記完了！

1分間テスト

① 犬も歩けば□に当たる。（　　）
② □が早いものから先に食べる。（　　）
③ 揚《あ》げ□を取る。（　　）
④ 先輩《ぱい》の□を立てて意見を控《ひか》えた。（　　）
⑤ 悪□身につかず。（　　）
⑥ □の威《い》を借る狐《きつね》。（　　）
⑦ 計画は□に描《か》いた餅《もち》になった。（　　）
⑧ □も□も出ない。（　　、　　）
⑨ □の知らせを感じて電話した。（　　）
⑩ □兎《と》を追う者は□兎《と》をも得ず。（　　、　　）

暗記リスト

ひと言アドバイス

犬《いぬ》も歩《ある》けば棒《ぼう》に当《あ》たる…思いがけない災難にあう。

足《あし》が早《はや》い…食べ物がくさりやすい。そのほか「早い」では「気が早い…せっかちである」「目が早い…すばやく気がつく」の出題もある。

揚《あ》げ足《あし》を取《と》る…ちょっとした言葉づかいや言い間違いをとらえて、悪く言う。

顔《かお》を立《た》てる…相手の面目や体面を保つように配慮すること。

悪銭《あくせん》身《み》につかず…不正な方法で得たお金はむだ使いして、結局手元に残らない。

虎《とら》の威《い》を借《か》る狐《きつね》…弱い者が、強い人の力を借りて、いばること。「虎」は小学校で習わないが書かせる問題が出る。

絵《え》に描《か》いた餅《もち》…実現しそうにない計画や、期待できないもののたとえ。

手《て》も足《あし》も出《で》ない…まったく対処できない、力が及ばずどうしようもない状態。

虫《むし》の知《し》らせ…よくないことが起こりそうであると感じること。いやな予感。

二兎《にと》を追《お》う者《もの》は一兎《いっと》をも得《え》ず…二つのことを同時に手に入れようとすると、かえってひとつも得られないということ。

解答

① 棒
② 足
③ 足
④ 顔
⑤ 銭
⑥ 虎
⑦ 絵
⑧ 手、足
⑨ 虫
⑩ 二、一

四字熟語①

●□にあてはまる漢字を答えなさい。

□分□秒で暗記完了！

1分間テスト

① 二□《ソク》三□（　、　）
② 意□□合（　、　）
③ □□自得（　、　）
④ □□末節（　、　）
⑤ □給自□（　、　）
⑥ 花□□月（　、　）
⑦ □□百中（　、　）
⑧ 有□□《ム》実（　、　）
⑨ □我□中（　、　）
⑩ 起□転□（　、　）

暗記リスト

ひと言アドバイス

二束三文（にそくさんもん）…たくさんあっても、安い値段にしかならない。例これを売っても二束三文にしかならないよ。

意気投合（いきとうごう）…相手と気持ちがぴったり合う。例話しているうちにすっかり意気投合した。

自業自得（じごうじとく）…自分がした悪いことの報いを、自分が受ける。例今回の失敗は自業自得だよ。

枝葉末節（しようまっせつ）…大事ではない、取るに足らない小さなこと。例枝葉末節に気をとられてはいけない。

自給自足（じきゅうじそく）…生活に必要なものを自分でつくって間に合わせる。例山で自給自足の生活をおこなう。

花鳥風月（かちょうふうげつ）…自然の美しい景色。例花鳥風月に親しんで暮らす。

百発百中（ひゃっぱつひゃくちゅう）…予想などがすべて的中する。例彼女《かのじょ》の未来予測は百発百中だ。

有名無実（ゆうめいむじつ）…名前ばかりで実際の中身がともなっていない。例将軍という肩書きは有名無実となった。

無我夢中（むがむちゅう）…あることに心をうばわれ、ほかのことを忘れてしまう。例無我夢中で泳いだ。

起承転結（きしょうてんけつ）…物事や文章を書くときの順序や組み立て方。例文章の起承転結が整っている。

解答

①束、文　②気、投　③自、業　④枝、葉　⑤自、足　⑥鳥、風　⑦百、発　⑧名、無　⑨無、夢　⑩承、結

1回目　2回目　3回目　カンペキ！

四字熟語②

●□にあてはまる漢字を答えなさい。

□分□秒で暗記完了!

1分間テスト

① □□無恥《ち》（　、　）
② □材□所（　、　）
③ 無病□□（　、　）
④ 朝三□□（　、　）
⑤ □□工夫（　、　）
⑥ □載《ざい》一□（　、　）
⑦ □□強食（　、　）
⑧ □□《コウ》錯《さく》誤（　、　）
⑨ □立□歩（　、　）
⑩ □行□正（　、　）

暗記リスト

ひと言アドバイス

厚顔無恥（こうがんむち）…ずうずうしくて恥《はじ》知らずなこと。厚かましいこと。㊀厚顔無恥な態度に皆があきれてしまった。

適材適所（てきざいてきしょ）…その人その人の才能や力に合うように、役目や仕事を割り当てる。㊀適材適所に社員を配置する。

無病息災（むびょうそくさい）…病気をしないで、健康である。㊀家族の無病息災を願う。

朝三暮四（ちょうさんぼし）…見かけの違いでごまかしても結果は同じであることのたとえ。

創意工夫（そういくふう）…新しいものやうまいやり方をあれこれ考える。㊀創意工夫をして新しいサービスをつくる。

千載一遇（せんざいいちぐう）…千年に一度しかめぐりあえないほど、めったにないこと。

弱肉強食（じゃくにくきょうしょく）…弱者をほろぼして、強者だけが栄えること。

試行錯誤（しこうさくご）…いろいろ試して失敗しながら、しだいに解決に近づいていく。㊀実験は試行錯誤の連続だった。

独立独歩（どくりつどっぽ）…人に頼らず、自力で信じる道を進んでいく。㊀父は独立独歩の起業家であった。

品行方正（ひんこうほうせい）…日ごろのおこないが正しくきちんとしている。㊀品行方正な好青年。

1回目　2回目　3回目　カンペキ!

解答

①厚、顔
②適、適
③息、災
④暮、四
⑤創、意
⑥千、遇
⑦弱、肉
⑧試、行
⑨独、独
⑩品、方

同音・同訓異字①

● ――のカタカナを漢字に直しなさい。

□分□秒で暗記完了!

1分間テスト　暗記リスト

① 大変な混雑でヘイコウした。（　　）
② 二つの案はヘイコウして準備する。（　　）
③ 互《たが》いにヘイコウな二本の直線。（　　）
④ 営利のツイキュウという目的。（　　）
⑤ 真理のツイキュウ。（　　）
⑥ 責任をツイキュウする。（　　）
⑦ 新しい先生はイガイとやさしかった。（　　）
⑧ 生徒イガイは入れない。（　　）
⑨ 富士山が水面にウツる。（　　）
⑩ 黒板の内容をノートにウツす。（　　）

ひと言アドバイス

閉口…手に負えなくて困ること。
㋲友人のがんこさに閉口する

並行…並んで。同時に。
㋲JRと私鉄が並行して走る

平行…互いに交わらない位置関係。
㋲平行移動　平行線　平行棒

追求…手に入れようと目標や理想を「追い求める」こと。
㋲幸福を追求する

追究…明らかにしようと「追い究《きわ》める」こと。本質を深く探ること。㋲生命のなぞを追究する

追及…責任・過失を厳しく「追いつめる」こと。
㋲犯人を追及する　不正を追及する

意外…予期しない。思いがけない。

以外…それを除いたもの。

何かに映し出す場合、投影させる場合は「映す・映る」。
㋲鏡に自分の姿を映す　スクリーンに動画を映す
何かをコピーしたり、写し取ったりする場合は「写す」。
㋲カメラで友人の笑顔を写す

1回目　2回目　3回目　カンペキ!

解答

①閉口　②並行　③平行　④追求　⑤追究　⑥追及　⑦意外　⑧以外　⑨映　⑩写

同音・同訓異字②

● ——のカタカナを漢字に直しなさい。

□分□秒で暗記完了！

1分間テスト

① 身の安全をハカる。（　　）
② 海底の水深をハカる。（　　）
③ 正確な時間をハカる。（　　）
④ 気持ちを推しハカる。（　　）
⑤ 高層ビルのキコウ式。（　　）
⑥ 温暖なキコウ。（　　）
⑦ 旅の思い出をキコウ文に残す。（　　）
⑧ 私の父は学校にツトめている。（　　）
⑨ 電気の節約にツトめる。（　　）
⑩ 議長をツトめる。（　　）

暗記リスト

ひと言アドバイス

図る…計画を立てて目指す。意図する。
例解決を図る　合理化を図る

測る…長さ、深さ、高さ、広さなどを測る。
例メジャーで測る

計る…時間を調べる。考えていろいろ工夫する。
例いいように計らう　粋《いき》な計らい

推し量る…想像や推測によって判断すること。「体重を量る、米の重さを量る」のように重さや容量を量るときにも使う。

起工…工事を始めること。

気候…気温・雨量などの天気の変化の様子。

紀行…旅行中の出来事や、感想などを書いたもの。

勤める…勤務する。
例勤め先　病院に勤める

努める…努力する。
例勉強に努める　実現に努める

「務める」は役割を受けもつ場合や役割を果たす場合に使われる。
例司会を務める　生徒会長としての務め　会長は務まらない

カンペキ！　1回目　2回目　3回目

解答

①図　②測　③計　④量　⑤起工　⑥気候　⑦紀行　⑧勤　⑨努　⑩務

ランクB
書き取り
慣用句・ことわざ
四字熟語
同音・同訓異字
読み
対義語・類義語
チェック問題

同音・同訓異字③

1分間テスト　暗記リスト　ひと言アドバイス

●――のカタカナを漢字に直しなさい。

□分□秒で暗記完了！

① 参加するイギを感じない。（　　）
② 彼《かれ》にイギのある人びと。（　　）
③ キカンが開き呼吸が楽になる。（　　）
④ 宇宙飛行士がキカンした。（　　）
⑤ 政府のキカン。（　　）
⑥ 胃や腸といったからだのキカン。（　　）
⑦ 経済活動のキカンとなる産業。（　　）
⑧ 出場をジタイする。（　　）
⑨ ジタイの収拾を図る。（　　）
⑩ 計画ジタイに問題がある。（　　）

意義…値うち。
例 有意義な生活

異議…違う意見。反対の意見。

気管…呼吸をするための空気が通る管《くだ》。
例 気管支

帰還…遠く離れたところから帰ってくること。
例 戦地から帰還する

機関…ある活動をするためにつくられた組織。
例 報道機関　機関誌　金融《ゆう》機関　交通機関

器官…体内で、ある決まった働きをたえずしているもの。
例 消化器官　呼吸器官

基幹…中心となる大切なもの。
例 基幹産業　基幹システム

辞退…他人のすすめを断ること。遠慮すること。

事態…物事の状態。

自体…それ自身。

1回目　2回目　3回目　カンペキ！

解答

①意義　②異議　③気管　④帰還　⑤機関　⑥器官　⑦基幹　⑧辞退　⑨事態　⑩自体

同音・同訓異字④

1回目 ／　2回目 ／　3回目 ／　カンペキ！

● ――のカタカナを漢字に直しなさい。

□分□秒で暗記完了！

1分間テスト　▶暗記リスト

① 交差点をオれる。（　　）
② 布地をオる。（　　）
③ 乗り越しをセイサンする。（　　）
④ 過去をセイサンする。（　　）
⑤ 勝利のセイサンがある。（　　）
⑥ カクシンをもって答える。（　　）
⑦ 話がカクシンにふれる。（　　）
⑧ 技術のカクシンを進める。（　　）
⑨ 雨でも体育祭をケッコウする。（　　）
⑩ ケッコウつらい作業だった。（　　）

▶ひと言アドバイス

折る…曲げる(曲がる)。切りはなす。
例 枝を折る

織る…布などをつくること。
例 機織《はたお》り

精算…精密に計算して、過不足を正すこと。
例 会計の差額を精算する

清算…貸し借りをなくすこと。過去の関係を整理すること。例 借金を清算する

成算…成功する見込み。
例 成算があってやったのではない。

確信…確かにそうだと、かたく信じること。

核心…物事の核となる重要な部分。

革新…それまでのものを改め、新しくすること。
例 革新的な製品

決行…多少障害があっても思い切っておこなうこと。
例 雨天決行

結構…かなり。申し分のない。
例 大変結構なお味です

解答

① 折　② 織　③ 精算　④ 清算　⑤ 成算　⑥ 確信　⑦ 核心　⑧ 革新　⑨ 決行　⑩ 結構

★ランクB★
受験生必須の520問

読み①

1

次の漢字の読みを答えなさい。

① 築く（　　）
② 田舎（　　）
③ 幹（　　）
④ 往来（　　）
⑤ 率先（　　）
⑥ 脳裏（　　）
⑦ 注ぐ（　　）
⑧ 縮める（　　）
⑨ 志す（　　）
⑩ 盛る（　　）
⑪ 試みる（　　）
⑫ 効く（　　）
⑬ 群がる（　　）
⑭ 備える（　　）
⑮ 風潮（　　）
⑯ 湯治（　　）
⑰ 賃貸（　　）
⑱ 強いる（　　）
⑲ 反る（　　）
⑳ 都合（　　）

解答 1

①きず ②いなか ③みき(かん) ④おうらい ⑤そっせん ⑥のうり ⑦そそ(つ) ⑧ちぢ ⑨こころざ ⑩も(さか) ⑪こころ ⑫き ⑬むら ⑭そな ⑮ふうちょう ⑯とうじ ⑰ちんたい ⑱し ⑲そ ⑳つごう

2

次の漢字の読みを答えなさい。

① 承る（　　）
② 日和（　　）
③ 自重（　　）
④ 著す（　　）
⑤ 貴重（　　）
⑥ 外れる（　　）
⑦ 推す（　　）
⑧ 操る（　　）
⑨ 節穴（　　）
⑩ 預ける（　　）
⑪ 素行（　　）
⑫ 縮尺（　　）
⑬ 和む（　　）
⑭ 類似（　　）
⑮ 背筋（　　）
⑯ 任せる（　　）
⑰ 都度（　　）
⑱ 後世（　　）
⑲ 元来（　　）
⑳ 健やか（　　）

解答 2

①うけたまわ ②ひより ③じちょう ④あらわ ⑤きちょう ⑥はず ⑦お ⑧あやつ ⑨ふしあな ⑩あず ⑪そこう ⑫しゅくしゃく ⑬なご ⑭るいじ ⑮せすじ(はいきん) ⑯まか ⑰つど ⑱こうせい ⑲がんらい ⑳すこ

1回目 ／
2回目 ／
3回目 ／
カンペキ！

読み②

1 次の漢字の読みを答えなさい。

① 沿革（　　）
② 圧巻（　　）
③ 肥やす（　　）
④ 均一（　　）
⑤ 編む（　　）
⑥ 冬至（　　）
⑦ 専ら（　　）
⑧ 武者（　　）
⑨ 背景（　　）
⑩ 台頭（　　）
⑪ 奏でる（　　）
⑫ 精進（　　）
⑬ 傷む（　　）
⑭ 自ら（　　）
⑮ 一目（　　）
⑯ 樹氷（　　）
⑰ 取捨（　　）
⑱ 見聞（　　）
⑲ 屋外（　　）
⑳ 利己（　　）

解答 **1**
①えんかく ②あっかん ③こ ④きんいつ ⑤あ ⑥とうじ ⑦もっぱ ⑧むしゃ ⑨はいけい ⑩たいとう ⑪かな ⑫しょうじん ⑬いた ⑭みずか ⑮いちもく(ひとめ) ⑯じゅひょう ⑰しゅしゃ ⑱けんぶん ⑲おくがい ⑳りこ

2 次の漢字の読みを答えなさい。

① 割愛（　　）
② 映える（　　）
③ 小豆（　　）
④ 柔和（　　）
⑤ 質素（　　）
⑥ 骨子（　　）
⑦ 構える（　　）
⑧ 君臨（　　）
⑨ 苦い（　　）
⑩ 沿道（　　）
⑪ 穀倉（　　）
⑫ 至難（　　）
⑬ 血眼（　　）
⑭ 意図（　　）
⑮ 連なる（　　）
⑯ 浴びる（　　）
⑰ 要（　　）
⑱ 模型（　　）
⑲ 閉口（　　）
⑳ 度胸（　　）

解答 **2**
①かつあい ②は ③あずき ④にゅうわ ⑤しっそ ⑥こっし ⑦かま ⑧くんりん ⑨にが ⑩えんどう ⑪こくそう ⑫しなん ⑬ちまなこ ⑭いと ⑮つら ⑯あ ⑰かなめ(よう) ⑱もけい ⑲へいこう ⑳どきょう

1回目　／
2回目　／
3回目　／
カンペキ!

ランクB
書き取り
慣用句・ことわざ
四字熟語
同音・同訓異字
読み
対義語・類義語
チェック問題

対義語・類義語

1

□にあてはまる漢字を答えなさい。

□分□秒で暗記完了!

1分間テスト

暗記リスト

① 許可 ⇕ □□《シ》 （　　）

② 困難 ⇕ □《ヨウ》□ （　　）

③ 公開 ⇕ 秘□ （　　）

④ 積極 ⇕ □□ （　　）

⑤ 間接 ⇕ □□ （　　）

⑥ 返信 ⇕ □□ （　　）

⑦ 往復 ⇕ □□ （　　）

⑧ 寒冷 ⇕ □□ （　　）

⑨ 理性 ⇕ □□《ジョウ》 （　　）

⑩ 原則 ⇕ □□ （　　）

2

□にあてはまる漢字を答えなさい。

□分□秒で暗記完了!

1分間テスト

暗記リスト

① 短所 ＝ 欠□ （　　）

② 方法 ＝ □段 （　　）

③ 未来 ＝ □来 （　　）

④ 同意 ＝ □成 （　　）

⑤ 改善 ＝ 改□ （　　）

⑥ 真心 ＝ □意 （　　）

⑦ 意見 ＝ 見□ （　　）

⑧ 音信 ＝ □息 （　　）

⑨ 過失 ＝ 失□ （　　）

⑩ 快活 ＝ 明□ （　　）

解答

1 ①禁止 ②容易 ③密 ④消極 ⑤直接 ⑥往信 ⑦片道 ⑧温暖 ⑨感情 ⑩例外

2 ①点 ②手 ③将 ④賛 ⑤良 ⑥誠 ⑦解 ⑧消 ⑨敗 ⑩朗

できたらカンペキ!!
難易度★★★

ランクB 完成度チェック問題

1回目　／
2回目　／
3回目　／
カンペキ!

● 合格点70点
（一つ2点）
100点満点
点

1 次の漢字を書きなさい。

●解答は158ページ

① ベランダでふとんを□《ほ》す。

② 五万人の大□□《かんしゅう》。

③ 水質の□□《けんさ》をする。

④ 危険を□□《さっち》する。

⑤ □□《おうぼう》な行為。

⑥ ゴミを□□《じょきょ》する。

⑦ 相手の強さに□□《こうさん》する。

⑧ 決死の□□《ぎょうそう》で水を運ぶ。

⑨ 時代の□□《ちょうりゅう》に乗る。

⑩ 相手の□□《いこう》を聞く。

⑪ 考え方も□□□《かちかん》も違う。

⑫ 平和を□□《はたじるし》とする。

⑬ ペンを□□《はいしゃく》いたします。

⑭ 紙の□□《さいく》。

⑮ □□《じたい》が急変する。

⑯ 話が□□《ちょうふく》する。

⑰ 私の祖父は□□《はくしき》だ。

⑱ 紫《し》外線で肌《はだ》が□《いた》む。

⑲ チームの□□《けっそく》を図る。

⑳ 同じ□□《どひょう》で戦う。

㉑ デパートに□□《きんむ》する。

㉒ 今後の□□□《ぜんごさく》を講じる。

㉓ 水分□□《ほきゅう》に注意する。

次のページへ

2 □にあてはまる漢字を答えなさい。

① □に衣着せぬ言い方。

② 彼《かれ》の失敗を□□の石とする。

③ □に腹はかえられぬ。

④ □□にいとまがない。

⑤ □水の陣《じん》で勉強に取り組む。

⑥ 説明するのに□を折った。

⑦ 三人寄れば文殊《もんじゅ》の□□。

⑧ 人の噂《うわさ》も□□□日。

⑨ □を打ったような静けさ。

3 四字熟語を完成させなさい。

① 花□□月

② □□自得

③ □材□所

④ □行□正

⑤ 無病□□

⑥ 起□転□

⑦ □□無恥《ち》

⑧ □載《ざい》一□

⑨ 朝三□□

4 次の漢字を書きなさい。

① □□《かくしん》をもって答える。

② 話が□□《かくしん》にふれる。

③ 技術の□□《かくしん》を進める。

④ 雨でも体育祭を□□《けっこう》する。

⑤ □□《けっこう》つらい作業だった。

⑥ 富士山が水面に□《うつ》る。

⑦ 黒板の内容をノートに□《うつ》す。

⑧ 参加する□□《いぎ》を感じない。

⑨ 彼《かれ》に□□《いぎ》のある人びと。

●解答は158ページ

★ランクC★

難関校合格の切り札！
合否を左右する560問

出る順
「中学受験」漢字1580が
7時間で覚えられる問題集
[3訂版]

いよいよ最後のランクCだ。ここには他の受験生を一歩リードし、合格を確実にするための問題がそろっている。

ランクAやBに比べると出題頻度は低くなるが、いずれも実際の入試で出題された実績のある、極めて重要な漢字ばかり。難関校を目指すキミは、「ひと言アドバイス」に加え、「出題例」欄も確認しながら、問題に取り組んでいこう。

また、ランクCの問題を一通り解き終えたら、問題集をランクAからCまでを2周、3周して、取りこぼしのないように徹底的に復習することを強くお勧めする。それでは、ランクCに挑戦しよう。

書き取り①

● ——のカタカナを漢字に直しなさい。

□分□秒で暗記完了!

1分間テスト

暗記リスト	ひと言アドバイス	出題例	解答
① 字のアヤマりを正す。（　　）	「誤」を「謝」と間違えないように。送りがな注意→誤り。	誤解 誤差 誤認	①誤
② 背泳ぎをシュウトクする。（　　）	習得…習って覚え、身につけること。	習慣 慣習 所得 損得 体得	②習得
③ 品切れジョウタイとなった。（　　）	「状」は縦線から書き始める。	白状 液状 現状 症《しょう》状 事態 態勢	③状態
④ そのテイアンに同意した。（　　）	「案」には、ことわざ「案ずるより産むが易《やす》し」の出題もある。	提示 前提 提起 案外 案内 思案	④提案
⑤ 彼《かれ》は昔から英語がトクイだ。（　　）	「得意満面」としての出題もある。	納得 得策 得票 意外 意義 意向	⑤得意
⑥ アツいコーヒーを飲んだ。（　　）	「熱」の部首は「灬(れんが＝れっか)」。	熱中 白熱 解熱《げねつ》 熱心 熱湯	⑥熱
⑦ かつてのマズしい時代。（　　）	ことわざ「赤貧《せきひん》洗うがごとし」の出題もある。	貧血 貧困 貧富	⑦貧
⑧ キュウキュウ車を呼ぶ。（　　）	「救」の「求」は7画で書き、右上の点を忘れない。	救う 救援 急激	⑧救急
⑨ 絹はカイコの糸から作られる。（　　）	部首は「虫(むし)」。	養蚕《ようさん》	⑨蚕
⑩ オリンピックのセイカを運ぶ。（　　）	「聖火リレー」「聖火台」としての出題もある。	火急 消火器	⑩聖火

1回目 ／　2回目 ／　3回目 ／　カンペキ!

書き取り②

●——のカタカナを漢字に直しなさい。

□分□秒で暗記完了！

1分間テスト / 暗記リスト / ひと言アドバイス / 出題例 / 解答

1分間テスト	ひと言アドバイス	出題例	解答
① シオの香りに満ちた港町。（　　）	「潮時《しおどき》…物事をするのにちょうどよいとき」の出題もある。	風潮 満潮 干潮	①潮
② 郷土芸能をデンショウする。（　　）	伝承…受け継いで伝えていくこと。	伝統 宣伝 承知 継承 承認 承《うけたまわ》る	②伝承
③ 海外で高くヒョウカされる。（　　）	「価」の右側は「西」ではない。まっすぐの縦線で書く。	批評 定評 不評 安価 定価 価値	③評価
④ 今年の夏はイジョウな暑さだ。（　　）	異常↔正常	異例 差異 常備 常夏《とこなつ》 日常	④異常
⑤ カイテキな環境で過ごす。（　　）	「適」は「ぴったり当てはまる」という意味。	快活 快方 軽快 適合 適性 適正	⑤快適
⑥ 京都のキコウ文を読む。（　　）	紀行文…旅行中に見聞きしたことを書いた文章。「記」としないように。	世紀 挙行 試行 善行 行方《ゆくえ》 刊行	⑥紀行
⑦ 個人のキョウヨウを深める。（　　）	教養…広い知識と豊かな心を磨《みが》き高めること。	教官 教訓 静養 供養《くよう》	⑦教養
⑧ 勉強時間をハカった。（　　）	「粋《いき》な計《はか》らい」「いいように計らう」としても出題。	余計 設計 計略 計算 早計 統計	⑧計
⑨ お金をクメンする。（　　）	工面…何とか工夫して必要な金銭を用意すること。	工夫 加工 局面 額面 洗面所 体面	⑨工面
⑩ 夢はサイゲンなく広がっていく。（　　）	際限…物事の限界、終わり。	際《きわ》どい 国際 手際 権限 刻限 制限	⑩際限

1回目 ／　2回目 ／　3回目 ／　カンペキ！

書き取り③

1回目　2回目　3回目　カンペキ!

●――のカタカナを漢字に直しなさい。

□分□秒で暗記完了!

1分間テスト

① 日差しがマドからさしこむ。（　　）
② 化学ヒリョウを使わない作物。（　　）
③ ミレンがましい行動。（　　）
④ 需要とキョウキュウ。（　　）
⑤ 野生の馬がムれをなす。（　　）
⑥ 厳重なケイビをかいくぐる。（　　）
⑦ 文章を書く前にコウソウを練る。（　　）
⑧ ショウボウショに通報する。（　　）
⑨ 作業のセイミツさが求められる。（　　）
⑩ コナユキが降る。（　　）

暗記リスト

	ひと言アドバイス	出題例	解答
①	部首は「⺳（あなかんむり）」。「穴」を縮めたかたち。	同窓会　車窓	窓
②	「肥」の部首は「月（にくづき＝にく）」。	肥える　肥やし 飲料　給料　燃料	肥料
③	未練がましい…あきらめきれず、いつまでもこだわっている様子。	未知　未然　未来 練る　訓練　熟練	未練
④	供給…必要に応じて商品を市場《しじょう》に出すこと。供給↔需要	供える　補給　給食 支給　自給	供給
⑤	部首は「羊（ひつじ）」。「郡」と間違えないように。	群がる　大群　群衆 群生	群
⑥	「備」を使った四字熟語「才色兼《けん》備」も覚えておこう。	警報　警告　備える 予備　不備	警備
⑦	構想…考えを組み立てること。「講」と書かないように。	構える　結構　構図 仮想　幻想　思想	構想
⑧	「消」の右側は「中、左、右」の順に点を書く。	消化　消毒　防衛 防護　署名　税務署	消防署
⑨	「精」の部首は「米（こめへん）」。「青」は「十、二、月」の順に書く。	精根尽《つ》きる　精製 綿密　密接　密談	精密
⑩	「粉」を使った慣用句「身を粉《こ》にする」はよく出る。	粉砕《さい》　粉末　積雪	粉雪

書き取り④

● ――のカタカナを漢字に直しなさい。

□分□秒で暗記完了!

1回目　2回目　3回目　カンペキ!

1分間テスト

① 強くインショウに残っている。（　　）
② 彼女《かのじょ》は手先がキヨウだ。（　　）
③ 森にセイソクしている動物。（　　）
④ セイタン百年祭を祝う。（　　）
⑤ デントウのある校風。（　　）
⑥ 薬をフクヨウする。（　　）
⑦ キテキが聞こえる。（　　）
⑧ ヒョウジュン的な問題だ。（　　）
⑨ フクハンチョウに立候補する。（　　）
⑩ 健康をネントウに置いた食生活。（　　）

暗記リスト

	ひと言アドバイス	出題例
①	「印、卵、危」の部首はすべて「卩(ふしづくり＝わりふ)」。	印刷　消印《けしいん》　対象　気象
②	器用↔不器用	器官　器量　用心　引用　応用　起用
③	「息」の上は「白」にしないように注意。	衛生　野生　群生　生態　休息
④	生誕…人が生まれること。誕生。	派生　芽生える　再生　誕生
⑤	伝統↔革新	伝説　系統　統合　統一　統計　統治
⑥	「服」の右側の1画目ははねる。服用…薬を飲むこと。	制服　一服《いっぷく》　衣服　敬服　効用　採用
⑦	「汽」には「汽車、汽船」などの熟語がある。	警笛　麦笛《むぎぶえ》
⑧	「準」の部首は「氵(さんずい＝みず)」。標準＝スタンダード。	標語　標高　座標　基準　準じる
⑨	「副」とは、主なものの働きを助けるもの、ついでにつけ加わるもの。	副菜　副業　副作用　首班
⑩	念頭…心に留めておくこと。	余念　正《しょう》念場　概念　頭角　巻頭　台頭

解答

①印象　②器用　③生息　④生誕　⑤伝統　⑥服用　⑦汽笛　⑧標準　⑨副班長　⑩念頭

書き取り⑤

●――のカタカナを漢字に直しなさい。

□分□秒で暗記完了!

1分間テスト　暗記リスト

① カッキテキな案を思いついた。（　　）
② ガクメン通りに受け取る。（　　）
③ ゲンカクな父の教え。（　　）
④ あいさつをカわす。（　　）
⑤ コウシを混同しない。（　　）
⑥ ノウコウに適した土地。（　　）
⑦ ヘイイな問題に取り組む。（　　）
⑧ トウブンをとると元気になる。（　　）
⑨ カクジツな情報。（　　）
⑩ 家のソウコを整理する。（　　）

ひと言アドバイス

① 画期的…今までになかったもので、すぐれている様子。
② 額面…貨幣《へい》などに書いてある金額。
③ 厳格…厳しくて少しの誤りも許さない様子。
④ 「言葉を交わす」「友と交わした約束」の出題もある。
⑤ 公私…みんなのためを考える公的な立場と自分だけの私的な立場。
⑥ 農耕…田畑を耕して、作物をつくること。
⑦ 平易…易しくて、わかりやすいこと。
⑧ 「分」を使ったことわざ「一寸の虫にも五《ご》分《ぶ》の魂《たましい》」の「五分」も書けるようにしよう。
⑨ 「確」は「まちがいない、かたい」という意味。
⑩ 「庫」の部首は「广(まだれ)」。

出題例

① 版画　延期　期待　劇的　的確
② 額《ひたい》　工面　局面　側面
③ 厳密　威厳　資格　規格　骨格
④ 交代　交付　親交　交易《えき》
⑤ 公演　公開　公算　私財　私語
⑥ 農業　耕す　耕作
⑦ 平素　平然　平等　容易　貿易　易者
⑧ 糖質　分別　分担　分割
⑨ 確信　誠実　忠実　実際
⑩ 穀倉　冷蔵庫　宝庫

解答

① 画期的
② 額面
③ 厳格
④ 交
⑤ 公私
⑥ 農耕
⑦ 平易
⑧ 糖分
⑨ 確実
⑩ 倉庫

1回目　2回目　3回目

カンペキ!

書き取り⑥

● ——のカタカナを漢字に直しなさい。

□分□秒で暗記完了!

1分間テスト　暗記リスト

	問題	ひと言アドバイス	出題例	解答
①	合格するとダンゲンした。（　）	断言…自分の意見をはっきりと言い切ること。	縦断　油断　予断　宣言　過言　明言	断言
②	ふるさとの人にオン返しをする。（　）	ほかに「恩着せがましい」の出題もある。	恩師　謝恩会　恩人　恩義	恩
③	カイラン板がまわってくる。（　）	回覧板…町内会などで書類などを複数の人に見てもらうために、順番に回す掲《けい》示板や文書のこと。	回復　回収　回送　遊覧　博覧会	回覧
④	雨天のため日をアラタめる。（　）	「改めて考える」の出題もある。	改革　改善　改修　改正　改札	改
⑤	敵のたくらみをカンパする。（　）	看破…物事の本質や裏側を見抜くこと。	看板　看過　破損　破る　破片	看破
⑥	四番打者をケイエンする。（　）	敬遠…遠ざけて、さけること。	敬う　敬服　敬老　永遠　遠心力	敬遠
⑦	暴風雨がショウコウ状態になる。（　）	小康…病状や混乱した状況が一時的に安定すること。	縮小　小刻み　小児科　健康	小康
⑧	チュウジツに再現された模型。（　）	「実」を使った四字熟語「有名無実」「不言実行」も覚えよう。	忠告　忠臣　実績	忠実
⑨	車は文明のリキである。（　）	利器…便利で有用な道具や器具。	権利　利く　便利　器械体操　器量	利器
⑩	全権をイニンする。（　）	委任…他人に任せること。同意の慣用句に「下駄《げた》を預ける」がある。	委ねる　任務　放任　留任　就任　責任	委任

1回目／　2回目／　3回目／　カンペキ!

書き取り⑦

● ――のカタカナを漢字に直しなさい。

□分□秒で暗記完了!

1分間テスト

① 人々のカンセイが聞こえる。（　　）
② キンベンな仕事ぶり。（　　）
③ 布をタつ。（　　）
④ 書類のテイサイを整える。（　　）
⑤ 鬼《おに》をタイジする。（　　）
⑥ ヒガンの金メダルを取る。（　　）
⑦ エキシャ内で待ち合わせする。（　　）
⑧ 被災者のカセツ住宅。（　　）
⑨ チューリップのカブを植えた。（　　）
⑩ 疲れたのでキュウソクする。（　　）

暗記リスト

	ひと言アドバイス	出題例
①	「歓」は小学校で学ばないが必ず覚えるべき漢字のひとつ。	歓喜　歓迎　拡声　声明
②	「勤」の部首は「力(ちから)」。	勤める　勤務　通勤
③	裁つ…布や紙などを切ること。	裁判　裁く　裁断
④	体裁…外見。見てくれ。	自体　体得　体面　仲裁　裁決
⑤	退治…害があるものをほろぼすこと。	退ける　退職　辞退　治まる　湯治《とうじ》　統治
⑥	悲願…なんとしても果たしたいと念じている願い。	悲鳴　悲痛　念願
⑦	「駅」の「馬」の筆順は「縦、横、縦、横、横、まげてはねる、点4つ」。	寄宿舎　庁舎　田舎
⑧	「仮説」と間違えないようにしよう。	仮説　仮想　仮病　設ける　建設　創設
⑨	この場合の「株」は、植物の根元部分、または植物全体を指す。	株式　株主　株券　古株《ふるかぶ》
⑩	「息」の出る順は「生息→休息→消息」。セットで覚えておこう。	生息　消息

解答

① 歓声
② 勤勉
③ 裁
④ 体裁
⑤ 退治
⑥ 悲願
⑦ 駅舎
⑧ 仮設
⑨ 株
⑩ 休息

1回目　2回目　3回目　カンペキ!

書き取り⑧

●——のカタカナを漢字に直しなさい。

□分□秒で暗記完了！

1分間テスト　暗記リスト　ひと言アドバイス　出題例　解答

	問題	ひと言アドバイス	出題例	解答
①	消防士が命をスクった。（　　）	「救」の「求」にある右上の点を忘れずに。	救済　救急　救護　救助	①救
②	ゲンミツな基準に従う。（　　）	厳密…細部まで正確であること。	厳しい　厳格　厳守　綿密　密閉　密接	②厳密
③	絵画がゼッサンされた。（　　）	「賛」はほかに「賛否、賞賛、賛同」の出題が多い。	絶える　絶句　根絶　賛成　賞賛	③絶賛
④	コトワりもなく帰宅した。（　　）	「断る」の送りがなは「る」であることに要注意。	断腸の思い　油断　裁断　判断　断固	④断
⑤	自分の無力さをツウカンした。（　　）	「痛」の部首は「疒（やまいだれ）」。病気に関する字に多い。例：病、疲、療	痛い　痛快　激痛　悲痛	⑤痛感
⑥	最新作のドクソウ性を評価する。（　　）	「独」は「独《ひと》り言、独《ひと》りよがり」の出題もあるので覚えておこう。	独特　独断　創造　創立　創設	⑥独創
⑦	ヒゲキ的な結末を迎えた。（　　）	「劇」は「縦、横、丿」の順で書き始めて、4画目ではねる。	劇薬　観劇　劇的　演劇　喜劇	⑦悲劇
⑧	神社ブッカクに参拝する。（　　）	「閣」の出題は、出題例を含めた5つがよく出る。	内閣　閣議　組《そ》閣　天守閣	⑧仏閣
⑨	助かるかどうかのサカイメだ。（　　）	境目…境になる部分。分かれ目。	県境　境地　境内《けいだい》　見境《みさかい》　耳目《じもく》	⑨境目
⑩	中央カンチョウで働いている。（　　）	官庁…政府の行政機関のこと。	省庁　県庁　警視庁　庁舎	⑩官庁

1回目／　2回目／　3回目／　カンペキ！

書き取り⑨

●——のカタカナを漢字に直しなさい。

□分□秒で暗記完了!

1回目 2回目 3回目 カンペキ!

1分間テスト	暗記リスト	ひと言アドバイス	出題例	解答
① アンカなパソコンを買う。	( )	反対語は「高価」。	安否 安易 安住 価値観 評価	①安価
② 来月からヤチンがあがる。	( )	お金に関する漢字には「貝」が付くことが多い。	家屋 家庭 賃貸 賃金 運賃	②家賃
③ 一万倍にカクダイする。	( )	「拡大」の対義語「縮小」もセットで覚えよう。	拡張 拡散 拡声 尊大 大挙 大漁	③拡大
④ 暖かいキコウが続く。	( )	「候」は「イ→｜→ユ→矢」の順に書く。	気象 景気 英気 候補 天候 兆候	④気候
⑤ 平安キゾクの生活習慣。	( )	貴族↔平民	貴重 高貴 族長 部族 民族	⑤貴族
⑥ すばらしいケシキを見る。	( )	「ケシキ」と言われたときにパっと漢字が思い浮かぶように。	背景 景観 景気 灰色 音色	⑥景色
⑦ コウシュウの前で演説をする。	( )	「衆」の筆順は「血」のあとに「イ」を書くことに注意。	公言 公認 観衆 民衆 衆議院	⑦公衆
⑧ 児童をコウドウに集める。	( )	講堂…講話や講演をおこなう建物。「構」ではないことに注意。	講習 講座 講義 一堂	⑧講堂
⑨ コウミャクをほり当てる。	( )	鉱脈…岩石の割れ目などに鉱物が板のようにつまっているところ。	鉄鉱石 鉱物 山脈 人脈 脈をとる	⑨鉱脈
⑩ サンピを投票で決める。	( )	四字熟語「賛否両論」としての出題も多い。	絶賛 賛同 否定 可否	⑩賛否

書き取り⑩

● ——のカタカナを漢字に直しなさい。

□分□秒で暗記完了！

1分間テスト　暗記リスト

① 友達の後ろスガタ。（　　）
② 体つきがよくニている。（　　）
③ シュクシャク千分の一の地図。（　　）
④ 他校の生徒とダンショウする。（　　）
⑤ 成長がイチジルしい。（　　）
⑥ あの人はドキョウがある。（　　）
⑦ 土地のバイバイにくわしい。（　　）
⑧ 自由とハクアイの精神。（　　）
⑨ 時計のビョウシンが動く。（　　）
⑩ 仲間はずれにされてキズつく。（　　）

	ひと言アドバイス	出題例	解答
①	全身を映せる大きな鏡のことを「姿見《すがたみ》」と言うので覚えておこう。	姿勢　容姿	①姿
②	「似」は出題例もしっかり確認しておこう。	類似　疑似体験　空似《そらに》　真似《まね》	②似
③	縮尺…地図を縮める割合。	縮まる　圧縮　収縮　尺度	③縮尺
④	「笑」ではほかに「鼻で笑う」「一笑に付《ふ》す」「破顔一笑《はがんいっしょう》」の出題がある。	座談　商談　談判《だんぱん》　密談　苦笑《にがわら》い	④談笑
⑤	送りがな注意↓著しい。	著《あらわ》す　著作権　著述	⑤著
⑥	「度」では「度が過ぎる」、「胸」では「胸をなでおろす」の出題がある。	過度　節度　丁度　都度　胸中　胸囲	⑥度胸
⑦	「売買＝売り買い」と覚えておこう。	仲買《なかがい》　買収	⑦売買
⑧	博愛…差別なく平等に愛すること。「博」は右上の点を忘れない。	博《はく》す　博覧会　愛着　割愛　無愛想	⑧博愛
⑨	「針」は訓読みで「はり」。	方針　指針	⑨秒針
⑩	「傷口《きずぐち》」の出題もある。	感傷　傷む　負傷　損傷	⑩傷

1回目　2回目　3回目　カンペキ！

書き取り⑪

● ——のカタカナを漢字に直しなさい。

□分□秒で暗記完了!

1分間テスト ／ 暗記リスト

① 会社創立からのエンカク。（　　）
② 身体キノウが高い。（　　）
③ シャオン会に出席する。（　　）
④ 金銭スイトウ帳。（　　）
⑤ ムし暑い日が続く。（　　）
⑥ シンキョウの変化を語った。（　　）
⑦ シンゾウのリズム。（　　）
⑧ 父のゾウショを整理する。（　　）
⑨ イッコクを争う。（　　）
⑩ カブシキ会社に勤める。（　　）

	ひと言アドバイス	出題例
①	沿革…組織や制度などの移り変わり。	沿う　沿海　改革 革新　皮革《ひかく》
②	「機」は最後の点を付け忘れないこと。	機関　好機　転機 効能　能楽《がく》
③	謝恩…世話になった人に感謝すること。	謝礼　謝罪　恩人 恩恵　恩師
④	出納…お金の出し入れ。	出現　演出　出自《しゅつじ》 納める　納屋《なや》
⑤	「蒸し器」「蒸しタオル」の出題もある。	蒸発　蒸気　蒸留
⑥	「境」を「鏡」にしないこと。	会心　細心　関心 境内《けいだい》　境地　辺境
⑦	「心」を使った四字熟語「心機一転」「以心伝心」はよく出る。	改心　感心　求心力 決心　臓器
⑧	蔵書…自分のものとして持っている本。	内蔵　秘蔵　冷蔵庫 貯蔵　辞書　証書
⑨	「一刻も早く」とも使う。	一緒　一笑　一服《いっぷく》 刻む　深刻
⑩	「株を売買する」としても出題される。	古株《ふるかぶ》　株券　旧式 形式

解答

①沿革　②機能　③謝恩　④出納　⑤蒸　⑥心境　⑦心臓　⑧蔵書　⑨一刻　⑩株式

1回目　2回目　3回目　カンペキ!

書き取り⑫

●――のカタカナを漢字に直しなさい。

□分□秒で暗記完了！

1回目　2回目　3回目　カンペキ！

1分間テスト	暗記リスト　ひと言アドバイス	出題例	解答
① ケイセイが不利になる。（　　）	形勢…移り変わるそのときどきの様子。「形勢逆転」などと使う。	形相《ぎょうそう》　形容　態勢　体勢	①形勢
② 辞書をいつもザユウに置く。（　　）	座右…身近なところ。「座右の銘《めい》」としての出題もある。	座る　玉座　講座　座席　座談　座標	②座右
③ 安全性がショウメイされた。（　　）	証明…証拠《こ》をあげて明らかにすること。	検証　証人　保証　立証　明暗　明かす	③証明
④ 不安がノウリをかすめた。（　　）	脳裏…頭の中。心の中。	首脳　頭脳　脳死　脳波　裏地《うらじ》	④脳裏
⑤ ヒキこもごもの人生を語る。（　　）	悲喜こもごも…悲しみと喜びが入れかわりあらわれること。	悲劇　歓喜	⑤悲喜
⑥ 計画が成功したとカテイする。（　　）	「過程」「課程」との違いを確認しよう(48ページ)。	仮説　仮想　推定　想定　定評	⑥仮定
⑦ カイカツな老婦人。（　　）	快活…元気で明るく生き生きとしている様子。	快く　軽快　快方　復活　肺活量	⑦快活
⑧ ジョウシキあるふるまい。（　　）	常識↔非常識	異常　常連　常備　標識　博識　認識	⑧常識
⑨ 鉄鋼業はキカン産業だ。（　　）	基幹…いちばんのおおもと。類義語「根幹」。同音・同訓異字(98ページ)チェック。	基準　基本　新幹線　幹事　幹《みき》　幹線道路	⑨基幹
⑩ 百メートルキョウソウに出る。（　　）	走って速さを競うのが「競走」。「競争」と区別しよう。	徒競走　競合　暴走	⑩競走

書き取り⑬

● ――のカタカナを漢字に直しなさい。

□分□秒で暗記完了!

1回目　2回目　3回目　カンペキ!

1分間テスト

① 秘密をキョウユウする。（　　）
② 時間をゲンシュする。（　　）
③ 文章のコウセイを考える。（　　）
④ 火災をソウテイした避《ひ》難訓練。（　　）
⑤ トウトい命。（　　）
⑥ 大空に小鳥をハナつ。（　　）
⑦ 監督《かんとく》のホウシンに従う。（　　）
⑧ 水がキカンシに入って苦しい。（　　）
⑨ 問題がサンセキする。（　　）
⑩ りんごがシュッカされる。（　　）

暗記リスト

	ひと言アドバイス	出題例	解答
①	「有」は「ノ」から書き始める。共有↕専有	有無　保有　有益　有能	共有
②	「厳」は最初の3画の向きに注意。	厳禁　尊厳　留守　天守閣　守秘	厳守
③	「成」は「丿」から書き始めることに注意。「構」を「講」としない。	構想　結構　構図　成熟　成果　成算	構成
④	「想」の部首は「心(こころ)」。	構想　予想　連想　定価　定着　否定	想定
⑤	「尊い」は「たっと(い)」と読む場合もある。尊い↕いやしい	尊重　自尊心　尊厳	尊
⑥	ほかに「矢を放つ」「悪臭を放つ」のかたちでも使う。	放る　解放　開放　放任	放
⑦	「針」を使った四字熟語「針小棒大」はよく出る。	遠方　方円　方眼紙　味方　秒針　指針	方針
⑧	「気管」と「器官」を混同しないように(98ページ)。	気絶　気品　気位《きぐらい》　管弦楽　支障	気管支
⑨	山積…「山積み」と同じ意味。「積」を「績」と書かないように注意。	山脈　鉱山　山積み　遊山《ゆさん》　容積　積極性	山積
⑩	出荷↕入荷	検出　出版　荷物　重荷	出荷

書き取り⑭

●――のカタカナを漢字に直しなさい。

□分□秒で暗記完了！

1分間テスト

① 兄のチュウコクに従う。（　　）
② 社会の出来事をホウドウする。（　　）
③ 問題点をレッキョする。（　　）
④ 自分とはコトなる性格。（　　）
⑤ オゴソかな雰《ふん》囲気。（　　）
⑥ 温泉のコウノウ。（　　）
⑦ 主人にジュウジュンな犬。（　　）
⑧ 快くショウチする。（　　）
⑨ 食べ物のショウミ期限。（　　）
⑩ 文豪《ごう》のジキヒツのサイン。（　　）

暗記リスト

ひと言アドバイス

① 「忠」は「まごころ、心からつくす」という意味。
② 「報」の総画数は12画。
③ 列挙…ひとつひとつ並べあげること。
④ 「意見を異《こと》にする」としての出題もある。
⑤ 厳か…近づきにくく威厳《いげん》があるさま。送りがな注意→厳か。
⑥ 類義語「効果、効用」。
⑦ 従順…素直で人に逆らわないこと。従順↔強情《ごうじょう》
⑧ 「承」の中の横線は3本、左側は1画で書き、右側は2画で書く。
⑨ 「賞」は真ん中の点から書く。
⑩ 「筆」は「ふで」とも読む。

出題例

① 警告　告白　申告
② 朗報　報いる　予報　筋道《すじみち》　道徳　伝道
③ 序列　列島　一挙　挙行　挙手　大挙《たいきょ》
④ 異議　異常　差異
⑤ 厳しい　厳正　厳然
⑥ 効く　機能　能楽《がく》　能動　能率　有能
⑦ 従う　服従　順次　順序　順調
⑧ 承認　承《うけたまわ》る　継承　察知　機知　検知
⑨ 大賞　鑑賞　賞状　あま味《み》　気味　正味《しょうみ》
⑩ 直ちに　直結　筆頭

解答

①忠告　②報道　③列挙　④異　⑤厳　⑥効能　⑦従順　⑧承知　⑨賞味　⑩直筆

1回目／　2回目／　3回目／　カンペキ！

書き取り⑮

1回目　2回目　3回目　カンペキ!

● ——のカタカナを漢字に直しなさい。

□分□秒で暗記完了!

1分間テスト

① 彼《かれ》の作品にはテイヒョウがある。（　　）
② 消灯《しょうとう》時にテンコを取る。（　　）
③ 刀の作り方をデンジュされる。（　　）
④ ツツみ紙。（　　）
⑤ ガッショウ部に入部する。（　　）
⑥ 電車賃をセイサンする。（　　）
⑦ 好きな作家がアラワした随《ずい》筆。（　　）
⑧ 倉庫にホカンする。（　　）
⑨ 天体ボウエンキョウ。（　　）
⑩ 集計結果をボウグラフで示す。（　　）

暗記リスト

	ひと言アドバイス	出題例	解答
①	定評…広く一般に認められている評判。	案の定《じょう》　規定　批評 好評　風評	①定評
②	「点」は、「縦、横、口、灬」の順に書く。	頂点　呼吸　呼応 連呼	②点呼
③	伝授は「伝え、授ける」こと。	伝票　秘伝　授《さず》ける 授業　授与	③伝授
④	ほかに「包みかくす」という表現もある。	包装　包囲　包丁	④包
⑤	合唱↕独唱	合点　具合　合理 都合　提唱　暗唱	⑤合唱
⑥	「清算」との違いを覚えよう(99ページ)。	精進《しょうじん》　精を出す 精一杯　暗算　算出	⑥精算
⑦	「表す、現す」との違いを確認(50ページ)。	著作　著しい　著述	⑦著
⑧	「管」を「官」としないように。保管とは「保」存し、「管」理すること。	確保　保護　保障 気管支　管制	⑧保管
⑨	「遠」の「辶(しんにょう=しんにゅう)」は3画で書く。「廴(えんにょう)」も3画。	有望　切望　待望 望郷　敬遠	⑨望遠鏡
⑩	ことわざ「犬も歩けば棒に当たる」の出題もある。	鉄棒　相棒　用心棒	⑩棒

書き取り⑯

●——のカタカナを漢字に直しなさい。

□分□秒で暗記完了!

1回目 2回目 3回目 カンペキ!

1分間テスト	暗記リスト	ひと言アドバイス	出題例	解答
① ヨダンを許さない危機的状況《きょう》だ。( )		予断を許さない…今後の展開が予想できないこと。「余断」は誤り。	予備 予感 予告 縦断 断る 裁断	①予断
② 地下水をサイシュする。( )		「指紋《しもん》を採取する」とも使う。	採用 採決 採血 採る 取得	②採取
③ きつめにセッテイされている。( )		「設」の部首は「言(ごんべん)」、「定」の部首は「宀(うかんむり)」。	設計 建設 設置 定価 定着 否定	③設定
④ 私がコウアンしました。( )		考案…いろいろ工夫して考え出すこと。	考証 考察 再考 思案 提案 案外	④考案
⑤ 秘境をタンボウする。( )		探訪…現地に出かけて、調査・探索をすること。	探査 探究 訪れる 訪ねる 来訪	⑤探訪
⑥ キンイツな値段がつく。( )		5画目ははねる。	均等 均整 均質 一刻 画一的	⑥均一
⑦ 三年の歳月をへる。( )		経る…時間が過ぎることや、ある場所や過程を通ること。	神経 経済 経験 経由 経営	⑦経
⑧ 怒りで顔をコウチョウさせる。( )		紅潮…顔が赤くなること。	紅葉 紅梅《ばい》 紅茶 風潮 潮流 潮《しお》	⑧紅潮
⑨ ステージのショウメイをつける。( )		同音異義語の「証明」も書けるようにしよう。	参照 照準 日照 明言 明暗 判明	⑨照明
⑩ 教室の温度をチョウセツする。( )		「節」を「設」と間違えないように注意。	調査 調停 調整 節約 節操 礼節	⑩調節

書き取り⑰

●――のカタカナを漢字に直しなさい。

□分□秒で暗記完了!

1分間テスト

① 橋のカイシュウ工事をする。（　　）
② キュウトウ器がこわれる。（　　）
③ 論文をサンショウする。（　　）
④ 仕事にシマツをつける。（　　）
⑤ 彼《かれ》のシンカが問われる。（　　）
⑥ 木々がセイゼンと並んでいる。（　　）
⑦ タイレツから少しはみ出す。（　　）
⑧ 集団の行動をトウセイする。（　　）
⑨ ヒットウ株主の意見を聞く。（　　）
⑩ ヒンジャクな知識。（　　）

暗記リスト

ひと言アドバイス	出題例
改修…建物や設備を修理し、改良すること。	改善　改正　改める　修復　修業　研修
「湯」は「銭湯」「湯治《とうじ》」も書けるようにしよう。	支給　給付　給仕《じ》　熱湯
参照…照らし合わせて確かめたり、比べたりすること。	参拝　持参　降参　照会　照れる
始末…問題や出来事を片づけること。	終始　始終《じゅう》　原始　創始　末永く
真価…人の持つ本当の実力や、物の持つ本当の価値のこと。	純真　真相　真っ向　評価　安価
整然…きれいに整っている様子。整然↔雑然	均整　整える　歴然　雑然　未然
「隊」の部首は「阝(こざとへん)」。	除隊　序列　列挙　並列
統制…ばらばらなものをひとつにまとめ治めること。	伝統　統計　大統領　規制　強制　制服
筆頭…リストやグループの先頭。	直筆　頭角　巻頭　念頭　街頭　台頭
貧弱…物事が十分でなく、おとっていること。	貧しい　貧富　貧困　弱音

1回目　2回目　3回目

カンペキ!

解答

①改修　②給湯　③参照　④始末　⑤真価　⑥整然　⑦隊列　⑧統制　⑨筆頭　⑩貧弱

書き取り⑱

● ――のカタカナを漢字に直しなさい。

□分□秒で暗記完了！

1分間テスト

① 宿題の提出をワスれる。（　）
② リンカイ公園で遊ぶ。（　）
③ 学級委員にリッコウホする。（　）
④ カイセイの空が広がる。（　）
⑤ 自らのキョウドの歴史を学ぶ。（　）
⑥ 学級ニッシを書く。（　）
⑦ キョウセイ収容所。（　）
⑧ こわれた机をシュウリする。（　）
⑨ シンリョクの木々。（　）
⑩ 利益をツイキュウする。（　）

暗記リスト

ひと言アドバイス	出題例
類義語「失念する」を書かせる問題もある。	備忘録《びぼう》
臨海…海のそばにあること。	臨む　臨時　君臨　航海　海底
「候補」は単独でもよく出る漢字。確実に覚えよう。	樹立　創立　立派　兆候　測候所　補修
「忄(りっしんべん)」は、心を簡略化した形。心に関する字につく。「慣、情、悩、悔、慌」など。	快く　痛快　快挙　快活
郷土…生まれ育った土地。地方。	郷里　故郷　土俵
日誌…毎日の出来事を書いたもの。	日課　日照　日程　週刊誌　雑誌
強制…他人の意思や自由を無視して、あることを無理にさせること。	補強　強要　強引　制作　制す　制限
「修」はにんべんのあとの縦棒を忘れずに書く。	修める　修正　改修　管理　処理　推理
「新緑」は春から初夏にかけての若葉を指す言葉。	革新　刷新　新幹線　新調　緑化
「追究」「追及」との違いを確認しよう（96ページ）。	追放　追う　欲求　要求

解答

①忘　②臨海　③立候補　④快晴　⑤郷土　⑥日誌　⑦強制　⑧修理　⑨新緑　⑩追求

1回目　2回目　3回目　カンペキ！

書き取り⑲

● ——のカタカナを漢字に直しなさい。

□分□秒で暗記完了!

1分間テスト

① 暑さのためノウリツが落ちる。（　　）
② 帰ってこられるホショウはない。（　　）
③ イメージをユウセンする。（　　）
④ 物事をアンイに考える。（　　）
⑤ カソウ現実の世界を体感する。（　　）
⑥ 粗《そ》大ゴミをカイシュウする。（　　）
⑦ 法律のカイセイを検討する。（　　）
⑧ 真冬のカンパがやってきた。（　　）
⑨ カンセン道路で事故が起こる。（　　）
⑩ みすみすカンカできない事態だ。（　　）

暗記リスト

ひと言アドバイス

① 能率…物事を効率よく行う能力。
② 「保障」との違いを確認しよう(51ページ)。
③ 「優」の右上の部分に注意。
④ 安易…物事を簡単に考えすぎること。ネガティブな意味合いで使われることが多い。
⑤ 仮想…実際には存在しないが、仮にあるものとして考えてみること。
⑥ 同音異義語「改修」もよく出るので注意。
⑦ 改正…不適当なところや、不備な点を改めること。主に法律や制度に使用される。
⑧ 「波」の「皮」の部分は「丿」から書き始めることに注意。
⑨ 幹線道路…主要な地点を結ぶ重要な道路のこと。
⑩ 看過…見逃すこと。大目に見ること。

出題例

① 機能　効能　有能　率いる　効率　率先
② 保険　保障　確保　検証　証明　考証
③ 俳優　優勝　優待券　祖先　先行　先導
④ 安価　安否　治安　容易　貿易港　易しい
⑤ 仮設　仮定　仮説　想像　構想　想定
⑥ 回復　回覧　回送　収拾　吸収　収集
⑦ 改革　改善　改める　修正　公正　正統
⑧ 寒暖　悪寒　極寒　厳寒《げんかん》　余波
⑨ 幹《みき》　根幹　基幹　幹部　視線　沿線
⑩ 看板　看護師　看病　過程　過労　過言《ごん》

解答

①能率　②保証　③優先　④安易　⑤仮想　⑥回収　⑦改正　⑧寒波　⑨幹線　⑩看過

1回目　2回目　3回目　カンペキ!

書き取り⑳

●――のカタカナを漢字に直しなさい。 □分□秒で暗記完了!

1分間テスト

① これはキュウキョクの選択だ。（　　）
② キョジュウ地を探す。（　　）
③ 彼《かれ》の実行力にケイフクする。（　　）
④ 免許をコウフする。（　　）
⑤ コウキな生まれの方。（　　）
⑥ キャベツ畑に農薬をサンプした。（　　）
⑦ 具体的な行動シシンを示す。（　　）
⑧ ショウジョウが授与された。（　　）
⑨ 登山に向けてソウビを整える。（　　）
⑩ 土地の争いをチョウテイする。（　　）

暗記リスト

ひと言アドバイス	出題例
究極…物事の最後の到達点、または最も進んだ段階。	研究 探究 究明 極限 極まる 極秘
「住」には「住めば都…どんな場所でも、住み慣れれば快適に感じるようになる」の出題もある。	転居 同居 永住 安住 衣食住
敬服…感心して尊敬の念を抱くこと。	敬う 尊敬 敬遠 服用 服装 承服
交付…役所などが、書類や物品を正式に渡すこと。「公布」との違いに注意。	交代 交わす 交易 寄付 付録 給付
「貴」は「貴《とうと》い」を読ませる問題も過去にある。	高層 最高潮 至高 貴重 貴族 貴婦人
「布」の筆順は「ノ、一、巾」の順に書くことに注意。	散策 拡散 散乱 散る 財布 布教
指針…物事を進める上での基本的な方向や方針。	指揮 指標 指導 指図 秒針 方針
筆順注意。「賞」は真ん中の点から、「状」は縦線から書き始める。	賞味 鑑賞 大賞 招待状 状態
「備」と「編」の右下の違いに注意。	包装 装置 服装 備える 準備 警備
調停…争いや対立を、第三者が間に入って和解させること。	口調 調査 調節 停止 停留所

1回目／ 2回目／ 3回目／ カンペキ!

解答

①究極 ②居住 ③敬服 ④交付 ⑤高貴 ⑥散布 ⑦指針 ⑧賞状 ⑨装備 ⑩調停

ランクC 書き取り 慣用句・ことわざ 四字熟語 同音・同訓異字 読み チェック問題

書き取り㉑

1回目 2回目 3回目 カンペキ!

● ——のカタカナを漢字に直しなさい。

□分□秒で暗記完了!

1分間テスト

① ドウシンに返って遊ぶ。（　　）
② 期日までにノウゼイする。（　　）
③ 驚いてヒメイをあげる。（　　）
④ フウキを正す必要がある。（　　）
⑤ ほころびをホシュウする。（　　）
⑥ 不況のヨハが及《およ》ぶ。（　　）
⑦ シンコッチョウを発揮する。（　　）
⑧ 人間はハイで呼吸する。（　　）
⑨ 世間の人々にカヒを問う。（　　）
⑩ 雑誌をカンコウする。（　　）

暗記リスト

ひと言アドバイス

① 童心…子供のような純粋で無邪気な心。
② 「税」の部首「禾（のぎへん）」は、穀物に関する漢字に使われる。種、稲、穂など。
③ 「過重労働に悲鳴をあげる」のように、困難な状況に直面している様子を表す場合もある。
④ 風紀…主に学校や職場、地域社会などにおける秩序や道徳、規律のこと。
⑤ ふつう「修」は（しゅう）と読むが「修業」の場合は（しゅ）と読む。読みがなを書く問題に注意。
⑥ 余波…ある出来事の影響が残ること。
⑦ 真骨頂…その人が持つ、最も得意とするところ。
⑧ 「肺」の部首は「月（にくづき＝にく）」。体の部位などに関する漢字に使われる。
⑨ 可否…よいか悪いか。
⑩ 「刊行」の類語として「出版」「発行」がある。

出題例

① 童話　児童　神童　会心　関心　細心
② 納める　納得　収納　課税　減税
③ 悲願　悲劇　悲喜　共鳴　鳴く
④ 風潮　風景　風流　紀行　世紀
⑤ 補う　候補　補給　修める　修正　改修
⑥ 余地　余念　余計　寒波
⑦ 純真　真価　真相　骨格　愚《ぐ》の骨頂
⑧ 肺活量
⑨ 不可欠　許可　賛否　安否　否定
⑩ 週刊誌　創刊　孝行　紀行　挙行　並行

解答

①童心　②納税　③悲鳴　④風紀　⑤補修　⑥余波　⑦真骨頂　⑧肺　⑨可否　⑩刊行

書き取り㉒

●——のカタカナを漢字に直しなさい。

□分□秒で暗記完了！

1分間テスト

① 日本文化のゲンセンをたどる旅。（　　）
② シメイをまっとうする。（　　）
③ その職業に向いたシシツ。（　　）
④ それはシュウチの事実だ。（　　）
⑤ 真っ赤にジュクした柿。（　　）
⑥ チャイムが鳴るスンゼン。（　　）
⑦ 部屋のタイシャク契約を結ぶ。（　　）
⑧ 真理のタンキュウ。（　　）
⑨ 最新のチケンを盛り込む。（　　）
⑩ ツウヤクの仕事をする。（　　）

暗記リスト

ひと言アドバイス

出題例	ひと言アドバイス
起源　根源　財源　温泉	源泉…おおもと。
行使　亡命　革命　宿命　任命　命名	使命…自分に与えられた、果たさなければならない役目。
資格　資料　投資　均質　質素　性質	資質…生まれつきの性質や才能。
周囲　察知　承知　未知　理知	周知…広くみんなに知れわたっていること。
熟練　熟れる　成熟　未熟	「熟《う》れる」とセットで覚えておこう。
寸法　前兆　建前	「寸劇・寸断」の「寸」も「わずか」という意味を持つ。
貸す　賃貸　借りる　拝借	貸借…貸すことと、借りること。
探検　究極　追究　究明	探究…どこまでも深く調べること。 探求…あることを探し求めること。
察知　見聞　見当　拝見	知見…見て知ること。また、それで得た知識。
流通　精通　内訳	「訳」は「内訳《うちわけ》」という読み方もある。

解答

①源泉　②使命　③資質　④周知　⑤熟　⑥寸前　⑦貸借　⑧探究　⑨知見　⑩通訳

1回目　2回目　3回目　カンペキ！

書き取り㉓

●——のカタカナを漢字に直しなさい。

□分□秒で暗記完了!

1分間テスト

① ミッセツな人間関係。（　　）
② キョクチ的な大雨が降った。（　　）
③ 怒りがキョクゲンに達する。（　　）
④ お父さんのサギョウズボン。（　　）
⑤ ショリができない。（　　）
⑥ 身の安全をハカる。（　　）
⑦ 観光客がタイキョして訪れる。（　　）
⑧ 山のチョウテンに到達した。（　　）
⑨ 問題をテイキする。（　　）
⑩ モンクを言われる筋合いはない。（　　）

暗記リスト

	ひと言アドバイス	出題例	解答
①	密接…深いつながりがあること。	精密　密談　密約　応接　接種　接触	密接
②	局地…ある限られた地域。	郵便局　局面　薬局　地域　余地　地層	局地
③	極限…これ以上ない限界。	究極　極まる　際限　権限　制限	極限
④	「業」は横線の本数に注意。	操作　無造作　所作《しょさ》　業績　卒業　事業	作業
⑤	「処」の5画目は最後上にはねる。	対処　善処　処置　管理　修理　推理	処理
⑥	「図る」「計る」などの使い分けは97ページで確認しておこう。	意図　指図　系図　構図　縮図	図
⑦	大挙…大勢の人々が一斉に行動すること。	尊大　拡大　大損　挙げる　快挙　列挙	大挙
⑧	同じ音を含む「有頂天」は「天」であることに注意。	頂　登頂　真骨頂　点呼　合点　点検	頂点
⑨	提起…問題や議題などを、公の場や会議などで持ち出し、議論や検討の対象とすること。	提供　提唱　提案　奮起　起源　起因	提起
⑩	「文句」は書きだけでなく読みの問題でも出題される。	文脈　文化　俳句　絶句　禁句	文句

1回目　2回目　3回目

カンペキ!

書き取り㉔

●——のカタカナを漢字に直しなさい。

□分□秒で暗記完了!

1分間テスト	暗記リスト	ひと言アドバイス	出題例	解答
① いつも笑顔でメイロウな性格。	( )	明朗…明るくて、はっきりとしている。「明朗な会計処理」のように透明性やわかりやすさを表す際にも使われる。	証明 照明 究明 朗報 朗読 朗らか	①明朗
② 自らをリッする。	( )	律する…自分の行動や心を厳しく制御し、規律正しくすること。	規律	②律
③ 君の将来にキタイする。	( )	「期」には「必ずそうなるとあてにする」という意味がある。	延期 予期 画期的 招待 優待券	③期待
④ ケンゼンな生活をする。	( )	健全…心身ともに健康で異常がない様子。	全快 全盛《せい》 全容 保全 万全	④健全
⑤ 竹にはフシがある。	( )	「節《ふし》(歌のメロディー)を付けて歌う」の出題もある。	季節 節約 礼節 節分 節目	⑤節
⑥ 低チンギンのアルバイト。	( )	賃金…働いた者に報酬として支払われるお金。	家賃 運賃 賃貸	⑥賃金
⑦ 季節のウツり変わり。	( )	「映る、写す」との違いも確認しておこう(96ページ)。	推移 移植	⑦移
⑧ カンチョウにより水位が下がる。	( )	干潮…潮が引いて海面が最も低くなった状態。干潮↕満潮	干す 若干 干満 風潮 潮流 潮《しお》	⑧干潮
⑨ 帰りに本屋にヨる。	( )	「寄る」は、「三人寄れば文殊《もんじゅ》の知恵」「寄らば大樹《たいじゅ》のかげ」でも使われる。	寄付 寄宿舎	⑨寄
⑩ ツクエに向かう。	( )	出題例の「机上《きじょう》」は読みの問題でも出るので覚えておこう。	机上	⑩机

1回目 ／ 2回目 ／ 3回目 ／ カンペキ!

書き取り㉕

● ——のカタカナを漢字に直しなさい。

□分□秒で暗記完了！

1分間テスト

① キュウゲキに変化する。（　　）
② 友人のキョウチュウを察する。（　　）
③ ケイソツな行動を注意する。（　　）
④ 新しい校舎をケンセツする。（　　）
⑤ 読書をサイカイする。（　　）
⑥ 犯行の動機をスイリする。（　　）
⑦ 新入生が制服のスンポウを測る。（　　）
⑧ きわめてゼンリョウな人。（　　）
⑨ タンサン入りの飲料。（　　）
⑩ 先生のチョジュツした論文。（　　）

暗記リスト

解答	ひと言アドバイス	出題例
① 急激	「激」は訓読みで「激《はげ》しい」。こちらも再確認しよう。	至急　救急　火急　激しい　激動　感激
② 胸中	胸中…心の中。「胸」の「凶」の部分は、中の「ノ」から書き始める。	胸　度胸　夢中　中腹　的中
③ 軽率	軽率…よく考えずに軽々しく行うこと。	軽快　軽減　軽傷　率いる　効率　率先
④ 建設	「設」のつくり「殳」の2画目は上にはねる。	建築　建前　建つ　設ける　仮設　設定
⑤ 再開	「再開…再び始めること」を「再会…再び会うこと」と書かないように注意。	再興　再考　再起　開放　開幕　展開
⑥ 推理	「理」を使った四字熟語「理路整然《りろせいぜん》」も覚えよう。	推測　推移　推進　管理　修理　処理
⑦ 寸法	寸法…長さ、幅、高さなど、物の大きさを表す数値。	寸前　憲法　作法　法外
⑧ 善良	「善」を使ったことわざ「善は急げ」「牛に引かれて善光寺参り」も覚えておこう。	改善　善後策　善処　改良
⑨ 炭酸	「酸」を使った慣用句に「口を酸っぱくする…何度も同じことを言う」がある。	酸味　酸素　乳酸
⑩ 著述	「著」は訓読みで「著《あらわ》す」「著《いちじる》しい」とも読む。	著名　著す　著しい　供述

1回目 ／　2回目 ／　3回目 ／　カンペキ！

書き取り㉖

●——のカタカナを漢字に直しなさい。

□分□秒で暗記完了!

1分間テスト　暗記リスト

① バンシュウの野にたたずむ。（　　）
② 知らない土地で道にマヨう。（　　）
③ 原稿《こう》用紙のヨハク。（　　）
④ 彼は医者のタマゴだ。（　　）
⑤ 友達のアンピを気づかう。（　　）
⑥ アンガイ元気だね。（　　）
⑦ オウチャクな態度。（　　）
⑧ カクシンをつく例。（　　）
⑨ キリョウのよいむすめ。（　　）
⑩ 国連ケンショウを読む。（　　）

	ひと言アドバイス	出題例	解答
①	晩秋…秋の終わりごろ。「晩」を使った「大器晩成」も書けるようにしよう。	早晩　晩年　秋分	晩秋
②	「迷」を使った「迷子《まいご》」も読めるようにしておこう。	混迷　迷宮	迷
③	「余」は慣用句「手に余る…自分の能力を超えていてどうすることもできない」も覚えておこう。	余地　余念　余計　潔白　白熱　白昼	余白
④	「卵」は「鶏卵《けいらん》」を読めるようにしておこう。	産卵　卵白	卵
⑤	安否…無事であるかどうか。	安易　安住　安心　可否　賛否　否定	安否
⑥	「案」の部首は「木(き)」。「外」では「奇想天外」を覚えておく。	名案　案件　腹案　意外　法外　外す	案外
⑦	横着…ずうずうしく勝手なこと。なまけること。	愛着　接着　着く　不時着　付着	横着
⑧	核心…物事の中心となる大切な部分。	細心　心得《こころえ》　自尊心　心境　腹心　腐《ふ》心	核心
⑨	器量…顔だち。	器《うつわ》　利器　推し量る　測量　裁量　肺活量	器量
⑩	憲章…国家や組織の基本的な原則や守るべきルールを定めた文書のこと。	憲法	憲章

1回目　2回目　3回目　カンペキ!

書き取り㉗

● ——のカタカナを漢字に直しなさい。

□分□秒で暗記完了!

1分間テスト　暗記リスト

① 申し出をコジする。（　　　）
② 作業のコウテイを見直す。（　　　）
③ 文章のコッカクを考える。（　　　）
④ 健康が私のザイサンだ。（　　　）
⑤ ザッコク入りのごはん。（　　　）
⑥ 人通りがばったりタえる。（　　　）
⑦ 首相がソカクする。（　　　）
⑧ いつもとは違うソクメン。（　　　）
⑨ 悪事の片棒をカツぐ。（　　　）
⑩ 新しい生活にテキオウする。（　　　）

ひと言アドバイス	出題例	解答
固辞…固く辞退すること。	固める　断固　強固　お世辞　謝辞　祝辞	①固辞
工程…物をつくるときの作業の手順。「行程」は旅や移動の道のりを表す。	工面　細工　工夫　日程　音程　過程	②工程
骨格…骨組み。	骨子《こっし》　骨折　真骨頂　反骨　格好　格式	③骨格
財産の類義語として「資産…金銭的価値のある物や権利」を覚えておこう。	財布　私財　借財　遺産	④財産
雑穀…米・麦以外の穀物。豆・キビ・ソバ・アワなど。	雑然　雑誌　雑貨　穀倉　穀類　穀物	⑤雑穀
「血筋《ちすじ》が途絶える」としての出題もある。	絶好　絶対　気絶　謝絶　絶句　絶つ	⑥絶
組閣…総理大臣がそれぞれの大臣を決めて内閣をつくること。	仏閣　内閣	⑦組閣
「面」を使った「泣き面に蜂」「面《つら》の皮が厚い」「四面楚歌」はよく出る。	側近　鉄面皮《てつめんぴ》　面積　面目　路面	⑧側面
片棒を担ぐ…よくないことをいっしょにすること。	荷担(加担)　担任	⑨担
適応…まわりの条件や環境になじむこと。	適切　適当　適役　応じる　応接室　呼応	⑩適応

1回目　2回目　3回目　カンペキ!

書き取り㉘

1回目 2回目 3回目 カンペキ!

● ——のカタカナを漢字に直しなさい。

□分□秒で暗記完了!

1分間テスト

① 城のテンシュカク。（　　）
② トウジにかぼちゃを食べる。（　　）
③ 共有財産とニンシキしている。（　　）
④ お寺のハイカン料。（　　）
⑤ ビンジョウ値上げ。（　　）
⑥ これまでとはヨウソウが異なる。（　　）
⑦ 防犯カメラのエイゾウ。（　　）
⑧ 輸入した商品にカゼイする。（　　）
⑨ すばやい行動にカンシンする。（　　）
⑩ ケイザイの中心地。（　　）

暗記リスト

ひと言アドバイス	出題例
天守閣…城の中心に建てられたいちばん高い建物。	有頂天　天候　厳守　内閣　仏閣
冬至…(北半球では)1年のうちで最も昼が短い日。	立冬　暖冬　至難　至る　夏至　至高
「識」と「織」を区別する。いとへんの「織」は機織《はたお》り、組織などで使う。	確認　認定　容認　標識　識別　博識
拝観…寺・神社の建物や宝物を見ることのへりくだった言い方。	拝借　景観　美観　観衆
便乗…ある機会を自分に都合のいいように利用すること。	郵便局　便り　穏便《おんびん》　航空便　便宜《べんぎ》　方便
様相…ありさま。様子。	相当　相乗　皮相的
「映」の訓読み「映《は》える」「夕映《ゆうば》え」も読みの問題で出題される。	映る　反映　映える　想像　銅像
課税…国や地方公共団体が、国民や企業に対して税金を負担させること	日課　放課後　課題　納税　減税
感心と関心の使い分けを覚えよう(49ページ)。	感謝　感傷　痛感　会心　関心　細心
「経」を使った仏教の経典である「お経《きょう》」「読経《どきょう》」も読めるようにしておこう。	神経　経る　経験　済む　救済　返済

解答

①天守閣　②冬至　③認識　④拝観　⑤便乗　⑥様相　⑦映像　⑧課税　⑨感心　⑩経済

書き取り㉙

1分間テスト

●——のカタカナを漢字に直しなさい。

□分□秒で暗記完了!

暗記リスト

① ケッカンが浮き出ている。（　　）
② 一定のケンゲンをあたえる。（　　）
③ パソコンのコウシュウ会。（　　）
④ 雑音がマじる。（　　）
⑤ 去年はサイナンに見舞われた。（　　）
⑥ 試合に勝つためのサクを練る。（　　）
⑦ 仕事でジッセキを残す。（　　）
⑧ 自分のシャクドで判断する。（　　）
⑨ 新しいテチョウを買う。（　　）
⑩ 今月のシュウシは黒字だった。（　　）

	ひと言アドバイス	出題例	解答
①	「管」と「官」は間違えやすいので注意。血管は「血が通る管《くだ》」と覚えよう。	輸血　血相　血統書	血管
②	「権限…特定の権力や力の範囲」は、特に組織や法律に関連して使用される。	権利　著作権　際限　極限　制限	権限
③	「講習」は講堂、講義と同じように「説明すること」を意味する「ごんべん」の「講」を使う。	講義　講演　講堂　習慣　慣習　習得	講習
④	「混じる」は互いにとけ合っている状態、「交じる」は「観光客が交じる」のように互いの個性が残る状態。	混乱　混雑　混ぜる	混
⑤	「災」は「無病息災《むびょうそくさい》」「口は災《わざわ》いの元」も覚えておこう。	災害　非難　困難　至難	災難
⑥	「策」は「画策《かくさく》…あれこれと計画や計略を立てること」も書けるようにしよう。	散策　策略　対策　画策	策
⑦	「口実、結実、実感」など「実」を含む書きの問題は多い。ひとつずつ覚えていこう。	誠実　実際　忠実　功績　成績　業績	実績
⑧	尺度…物事を評価する基準。	縮尺　程度　度胸　態度	尺度
⑨	「手」は「後手《ごて》に回る…対応が遅れること」も知っておこう。	旗手　挙手　手間　帳消し	手帳
⑩	収支…収入と支出の関係を表す。収入のほうが多ければ黒字。支出のほうが多ければ赤字。	収拾　吸収　収集　支持　支障　支柱	収支

1回目　2回目　3回目　カンペキ!

書き取り㉚

● ——のカタカナを漢字に直しなさい。

□分□秒で暗記完了!

1分間テスト

① シンソウを究明する。（　　）
② 生活スイジュン。（　　）
③ 将来のためにセツヤクする。（　　）
④ 胸をハって夢を語ろう。（　　）
⑤ ドリョクで欠点を補う。（　　）
⑥ 勝手にそうハンダンした。（　　）
⑦ フンベツのある行動をしよう。（　　）
⑧ 名画をモシャする。（　　）
⑨ すぐにユケツが必要だ。（　　）
⑩ あの人は将来ユウボウである。（　　）

暗記リスト

ひと言アドバイス	出題例
真相…物事の本当の姿。	純真　真価　形相《ぎょうそう》　様相　血相
水準…物事の質やレベル、程度などを表す。	貯水池　水辺　水源　基準　準備　標準
「節」は「枝葉末節《しようまっせつ》…主要ではなく取るに足らない小さなこと」を覚えておこう。	調節　節《ふし》　節操　盟約　密約　条約
胸を張る…自信があって堂々とする。	拡張　主張
「努」は「努める」「勤める」「務める」の違いを理解しよう(97ページ)。	努める　労力　視力　勢力
「判」は「直談判《じかだんぱん》…直接相手と交渉や話し合いを行うこと」を覚えておこう。	批判　裁判　評判　縦断　油断　断腸
分別…物事の善し悪しを判断する能力。ただし「ゴミの分別」の場合は「ぶんべつ」と読む。	糖分　分担　分割　識別
模写…似せて写すこと。実物どおりに写しとること。	規模　模型　模様　写す　複写　写真
「血」は「血眼《ちまなこ》…必死になって探し求めること」を覚えておこう。	輸送　輸入　密輸　血管　心血
「望」は「本望《ほんもう》」「所望《しょもう》」を読めるようにしておこう。	固有　共有　有頂天　展望　望遠鏡　希望

1回目 ／　2回目 ／　3回目 ／

カンペキ!

解答

① 真相
② 水準
③ 節約
④ 張
⑤ 努力
⑥ 判断
⑦ 分別
⑧ 模写
⑨ 輸血
⑩ 有望

書き取り㉛

● ――のカタカナを漢字に直しなさい。

□分□秒で暗記完了!

1分間テスト

暗記リスト

① 愛情深くヨウキな人。（　　）
② 責任をハたす。（　　）
③ 星の動きをカンソクする。（　　）
④ 事件の真相をキュウメイする。（　　）
⑤ 事前にケイコクする。（　　）
⑥ 私にはガテンがいきません。（　　）
⑦ 文章を書きウツす。（　　）
⑧ 銅像のジョマク式をおこなう。（　　）
⑨ 友人に本をショウカイする。（　　）
⑩ おふろがこわれセントウに行く。（　　）

ひと言アドバイス	出題例	解答
陽気↔陰《いん》気。「陽気」は「明るくて楽しい性格」や「天気がよいこと」を意味する熟語。	太陽　陽光　気象庁　気配　蒸気	① 陽気
果たす…成しとげる。成し終える。	果報は寝て待て　青果	② 果
「測」を「側」と書かないように。	観念　拝観　観客　観光客　美観　推測	③ 観測
「究」の「九」は「ノ」から書き始める。	研究　探究　追究　解明　声明　明確	④ 究明
警告…よくないことが起きないように、前もって注意すること。	警報　警視庁　忠告　報告　告げる	⑤ 警告
合点がいく…納得できる。「早《はや》合点する」とも使う。	具合　合理　適合　帰着点　時点　焦点《しょうてん》	⑥ 合点
「映す」との違いを確認しよう(96ページ)。	模写　写真　複写	⑦ 写
除幕…銅像などが完成したとき、幕をはずして披露《ひろう》すること。	除く　解除　除去　掃除《そうじ》　開幕	⑧ 除幕
二字とも小学校で習わないが覚えておこう。	介抱　魚介	⑨ 紹介
「銭」ではことわざ「悪銭身につかず」がよく出る。	小銭　湯治《とうじ》　熱湯	⑩ 銭湯

1回目
2回目
3回目
カンペキ!

書き取り㉜

●――のカタカナを漢字に直しなさい。

□分□秒で暗記完了!

1分間テスト

① 労働時間をタンシュクする。（　　）
② ダンコたる決意で取り組む。（　　）
③ ジョウセキ通りに戦う。（　　）
④ 博物館ヒゾウの品。（　　）
⑤ フカクにも涙した。（　　）
⑥ ボケツを掘《ほ》る結果となった。（　　）
⑦ 新しいボウエイ大臣。（　　）
⑧ 多くのミンシュウに支持される。（　　）
⑨ 海外にリュウガクする。（　　）
⑩ 諸悪のコンゲンを絶つ。（　　）

暗記リスト

	ひと言アドバイス	出題例
①	対義語の「延長」もよく出る。	手短か　短冊《たんざく》　縮む　縮尺　収縮
②	断固…強い意志できっぱりと物事をおこなう様子。	縦断　油断　断言　固辞　固有　固める
③	定石…囲碁や将棋のある場面で、最もよいとされる決まった打ち方。	査定　否定　定価　磁石　石灰《せっかい》
④	秘蔵…大切にしまっておくこと。	秘境　守秘　冷蔵庫
⑤	不覚…思わずそうすること。	不意　不可欠　不当　才覚　自覚
⑥	墓穴を掘る…自分で自分をほろぼす原因をつくること。	墓参り　墓地　穴場
⑦	「正当防衛」の出題もある。	消防署　堤防　衛生　衛星　護衛
⑧	「衆」の筆順は「血」のあとに「イ」を書くことに注意。	官民　民族　公衆　群衆　衆参両院
⑨	「留」には「とどまる」という意味がある。	留守　蒸留　停留所　留意
⑩	「根元」と書いても正解。	精根　根に持つ　起源　語源

解答

① 短縮　② 断固　③ 定石　④ 秘蔵　⑤ 不覚　⑥ 墓穴　⑦ 防衛　⑧ 民衆　⑨ 留学　⑩ 根源（根元）

1回目 ／　2回目 ／　3回目 ／　カンペキ!

書き取り㉝

● ――のカタカナを漢字に直しなさい。

□分□秒で暗記完了！

1分間テスト

① アットウ的な勝利をおさめる。（　　）
② イヨウな光景を目にする。（　　）
③ 虫メガネで見る。（　　）
④ 災害により町にキキがせまる。（　　）
⑤ サイサンがとれない値段。（　　）
⑥ シンペンを整理する。（　　）
⑦ 海底の水深をハカる。（　　）
⑧ 新しいテッキン四階建て。（　　）
⑨ お手紙をハイケンいたしました。（　　）
⑩ 二つの案をヘイコウして進める。（　　）

暗記リスト

	ひと言アドバイス	出題例
①	「倒」は小学校で習わないが覚えるべき漢字。「圧到」と書かないように。	圧縮　圧巻　圧勝　重圧　血圧　倒す
②	「様」の右下のかたちは「水」ではなく「氺」。	異議　異常　差異　模様　様相
③	読みの問題で「血眼《ちまなこ》」「眼差《まなざ》し」の出題もある。	千里眼　眼下　主眼　方眼紙　望遠鏡
④	四字熟語「危機一髪」の出題もある。	危急　機密　好機　待機　無機質　有機
⑤	採算…商売や事業などで利益があがるかどうかを計算すること。	採集　採取　採血　清算　算出
⑥	身辺…身のまわり。	自身　身長　単身　辺《あた》り　岸辺
⑦	「計る、図る、量る」との違いを確認しよう(97ページ)。	推測　観測　予測　測候所
⑧	鉄筋…鉄筋コンクリート建築を略した言葉。	鉄棒　鋼鉄　筋道《すじみち》　首筋《くびすじ》　筋金《すじがね》　本筋《ほんすじ》
⑨	拝見…「見ること」のへりくだった言い方。	拝む　参拝　見過ごす
⑩	並行…並んで。同時に。「平行」は互いに交わらない位置関係を示す。	並木　試行　逆行　苦行　決行　行使

解答

① 圧倒
② 異様
③ 眼鏡
④ 危機
⑤ 採算
⑥ 身辺
⑦ 測
⑧ 鉄筋
⑨ 拝見
⑩ 並行

1回目　2回目　3回目

カンペキ！

書き取り㉞

●——のカタカナを漢字に直しなさい。

□分□秒で暗記完了!

1分間テスト

① 褒《ほ》められてウチョウテンになる。（　　）
② 病《やまい》がカイホウに向かう。（　　）
③ ペンのキャップをハズした。（　　）
④ 交通キカンが乱れる。（　　）
⑤ ゼッコウの機会だ。（　　）
⑥ ヒツウな表情を浮かべる。（　　）
⑦ 気候に合わせたフクソウ。（　　）
⑧ ヨウショウのころの夢。（　　）
⑨ 風邪《かぜ》でオカンがする。（　　）
⑩ 新緑が朝日にハえる。（　　）

暗記リスト

	ひと言アドバイス	出題例	解答
①	有頂天…とても幸せで浮かれた状態。「有頂点」と書かないように注意。	有史 有望 頂《いただき》 頂く 頂点 天候	有頂天
②	快方…病気や傷がだんだん治ってくること。	快く 痛快 軽快 方針 仕方 見方	快方
③	「外」を使った四字熟語「奇想天外…普通では思いもよらない変わった様子」も覚えておこう。	意外 案外 望外 法外 屋外 外観	外
④	「機関」の同音異義語「基幹、器官」なども確認しておこう(98ページ)。	機会 機械 機転 関心 関係 関節	機関
⑤	「絶」を使った四字熟語「絶体絶命」「空前絶後」は必ず書けるようにしておこう。	絶賛 絶える 絶頂 好都合 格好 好意	絶好
⑥	悲痛…あまりに悲しくて心が痛むこと。	悲願 悲劇 悲喜 痛い 痛快 痛感	悲痛
⑦	「服」は出題例以外にも「一服《いっぷく》、服従、服薬、内服」なども出るので覚えておこう。	敬服 承服 制服 包装 装置 装備	服装
⑧	「幼」を使った「幼《おさな》なじみ」「幼子《おさなご》」は読めるようにしておこう。	幼い 幼児 希少(稀少) 減少	幼少
⑨	「アクカン」は誤読。悪寒…発熱などのために、ぞくぞくと感じる寒気。	意地悪 善悪 寒暖 寒風《かんぷう》 寒波 極寒	悪寒
⑩	映える…光に照らされて美しく輝く。「夕映え」の出題もある。	映る 反映 映像 映画	映

1回目 2回目 3回目 カンペキ!

書き取り㉟

● ——のカタカナを漢字に直しなさい。

□分□秒で暗記完了!

1分間テスト

① カモツ列車が走る。（　　）
② ガイトウで演説が始まった。（　　）
③ 紙面をサいて特集を組む。（　　）
④ 一瞬《いっしゅん》、自分の耳をウタガった。（　　）
⑤ ケイケンしたことを話す。（　　）
⑥ 休みの日にゲキジョウに行く。（　　）
⑦ スコやかな成長を願う。（　　）
⑧ ゲンジュウに注意する。（　　）
⑨ かぐや姫《ひめ》がアラワれた。（　　）
⑩ 国境地帯をササツしている。（　　）

暗記リスト

	ひと言アドバイス	出題例	解答
①	貨物…車、船、飛行機などで運ぶ大きな荷物のこと。「貨」はバツ。	雑貨　銅貨　荷物　絹織物　果物《くだもの》	貨物
②	街頭…まちの通り。「街灯…道ばたに設けた電灯」と区別する。	街灯　温泉街　店頭　念頭	街頭
③	「口を割る」「腹を割る」「竹を割ったよう」の出題もある。	分割　割愛　割れる	割
④	耳を疑う…あまりに意外で、とうてい信じられないと驚くこと。	質疑　疑似体験	疑
⑤	「験」の「馬」の筆順は「縦、横、縦、横、横、まげてはねる、点4つ」。	経営　経路　経つ　体験	経験
⑥	「劇」の出る順は「劇薬、劇的、演劇、悲劇、劇場、歌劇、観劇」。	劇的　観劇　穴場　入場券	劇場
⑦	送りがな注意→健やか。総画数11画。	健康　健全　健在	健
⑧	厳重…非常に慎重で、厳しく取り締まること。	厳寒　貴重　重宝　丁《ちょう》重	厳重
⑨	「表れる」との違い(50ページ)。送りがな注意→現れる。	現象　現存　再現　実現　出現	現
⑩	査察…調査・視察すること。	検査　探査　調査　察知　視察　考察	査察

1回目　2回目　3回目　カンペキ!

書き取り㊱

● ——のカタカナを漢字に直しなさい。

□分□秒で暗記完了!

1分間テスト

暗記リスト

① あの先生はシドウがうまい。（　　）
② 知恵をサズける。（　　）
③ シンケンなまなざし。（　　）
④ シタの先まで出かかった言葉。（　　）
⑤ 山のチュウフクの小屋。（　　）
⑥ 三角ジョウギを使う。（　　）
⑦ 正三角形のテイギ。（　　）
⑧ 美術の時間にハンガをほった。（　　）
⑨ 少年ハンザイを取り締《し》まる。（　　）
⑩ 前後の文脈からルイスイする。（　　）

	ひと言アドバイス	出題例
①	類義語「指南」。	指揮　指示　指針 指標　指令　導入
②	「授かる」の出題もある。	伝授　授業　授与
③	「剣」は小学校で習わないが覚えよう。「検」や「険」と書かない。	純真　真実　真面目《まじめ》
④	慣用句「舌を巻く」「舌を出す」はよく出る。	二枚舌《にまいじた》 筆舌《ひつぜつ》につくしがたい
⑤	「腹」を使った慣用句「腹をくくる」はよく出る。	胸中　夢中　中傷 お腹《なか》　腹案　腹心
⑥	読み方は「じょうき」ではなく「じょうぎ」。「規」の「見」を「貝」と書かないように。	推定　設定　規模 規律　不規則
⑦	定義とは、「義＝意味」を「定＝定める」こと。	想定　仮定　定着 多義　義務　講義
⑧	「画」を使った四字熟語「自画自賛」「画竜《がりょう》点睛《てんせい》」は覚えておこう。	出版　絶版　絵画 画策　画像　画期的
⑨	「犯」の「犭(けものへん)」は「丿、まげてはねて、丿(右に出ない)」の順に書く。	謝罪　罪《つみ》
⑩	類推…似た点をもとにして他の物事を「こうだろう」と考えること。	類似　穀類　推す 推察　推量　推論

1回目　2回目　3回目

カンペキ!

解答

①指導　②授　③真剣　④舌　⑤中腹　⑥定規　⑦定義　⑧版画　⑨犯罪　⑩類推

慣用句・ことわざ①

1回目 ／
2回目 ／
3回目 ／
カンペキ!

●□にあてはまる漢字を答えなさい。

□分□秒で暗記完了!

1分間テスト

暗記リスト

① □をすえて決断を下した。（　　）
② □くじらを立てる。（　　）
③ 石□をたたいて渡る。（　　）
④ すでに□の息だった。（　　）
⑤ 目から□へ抜けるような人だ。（　　）
⑥ 柳《やなぎ》に□と受け流す。（　　）
⑦ 大臣のあの発言は□み足だ。（　　）
⑧ □が躍《おど》る思いだ。（　　）
⑨ 彼女《かのじょ》はいつも花より□□だ。（　　）
⑩ 久しぶりに友人宅に□を出す。（　　）

ひと言アドバイス

腹《はら》を据《す》える…何かにしっかりと心を決めて取り組む。似た表現の「腹をくくる」は、人生を左右するような強い覚悟を表す。

目《め》くじらを立《た》てる…些細なことに腹を立てたり、人のあら探しをして激しく非難したりすること。

石橋《いしばし》をたたいて渡《わた》る…非常に用心深いこと。

虫《むし》の息《いき》…死にそうになって、息をしているかどうかわからない状態。

目《め》から鼻《はな》へ抜《ぬ》ける…きわめて賢いこと。

柳《やなぎ》に風《かぜ》…おだやかに受け流して、人に逆らわないこと。

勇《いさ》み足《あし》…調子に乗りすぎて、思わぬ失敗をすること。

胸《むね》が躍《おど》る…喜びや期待などで、胸がわくわくする。

花《はな》より団子《だんご》…見た目の美しさや風流さよりも、実際に役立つものや利益になるものを選ぶこと。

顔《かお》を出《だ》す…短時間、ある場所に立ち寄ること。姿を現す。

解答

① 腹
② 目
③ 橋
④ 虫
⑤ 鼻
⑥ 風
⑦ 勇
⑧ 胸
⑨ 団子
⑩ 顔

慣用句・ことわざ②

1回目　2回目　3回目　カンペキ!

●□にあてはまる漢字を答えなさい。

□分□秒で暗記完了!

1分間テスト　暗記リスト

① 合否が気になり、□が□でない。（　、　）

② 彼《かれ》は□が軽いから、話せない。（　）

③ そんな□をきいちゃいけない。（　）

④ 彼女《かのじょ》は僕にとって高嶺《ね》の□だ。（　）

⑤ 紺屋《こうや》の□袴《ばかま》。（　）

⑥ 取らぬ狸《たぬき》の□算用。（　）

⑦ 新しい町も住めば□だ。（　）

⑧ ここで失敗したら元も□もない。（　）

⑨ 彼《かれ》は毎日図書館に□を運んだ。（　）

⑩ □に小判。（　）

ひと言アドバイス

気《き》が気《き》でない…心配事や不安なことがあって、落ち着かない様子。

口《くち》が軽《かる》い…秘密を守れない、何でも話してしまう。

口が軽い↕口が堅い

口《くち》を利《き》く…ものを言う。また、間に立って、話がまとまるようにする、紹介するという意味もある。

高嶺《たかね》の花《はな》…遠くから見るだけで、手に入れることのできないもの、あこがれるだけで、自分にはほど遠いもののたとえ。

紺屋《こうや》の白袴《しろばかま》…他人のことに忙しくて、自分自身のことには手が回らないことのたとえ。

取《と》らぬ狸《たぬき》の皮算用《かわざんよう》…まだ捕まえてもいない狸の皮を売ることを考えること。手に入るかどうかわからないものを当てにして計画を立てることのたとえ。

住《す》めば都《みやこ》…どんな場所でも、住み慣れれば快適に感じられるようになるということ。

元も子もない…何もかもすっかり失う。元金(元)も利子(子)もなくすという意味からできた言葉。

足《あし》を運《はこ》ぶ…ある場所を訪れること。

猫《ねこ》に小判《こばん》…貴重なものを与えても、本人にはその値うちがわからないことのたとえ。

解答

① 気、気
② 口
③ 口
④ 花
⑤ 白
⑥ 皮
⑦ 都
⑧ 子
⑨ 足
⑩ 猫

慣用句・ことわざ③

1回目 ／
2回目 ／
3回目 ／
カンペキ！

● □にあてはまる漢字を答えなさい。

□分□秒で暗記完了！

1分間テスト

① □作って魂《たましい》入れず。（　　）
② 高価な壺《つぼ》も今では無用の□物だ。（　　）
③ 木を見て□を見ず。（　　）
④ 肩で□をするほど疲《つか》れていた。（　　）
⑤ 彼女《かのじょ》は□をつぐんでしまった。（　　）
⑥ 先生の話に□を傾《かたむ》けた。（　　）
⑦ 二人はまるで水□の交わりだ。（　　）
⑧ 生き□の目を抜くような業界。（　　）
⑨ あの人とは昔から□《ウマ》が合う。（　　）
⑩ 木に□をついだような言い訳だ。（　　）

暗記リスト

ひと言アドバイス

仏作《ほとけつく》って魂入《たましいい》れず…ほとんど仕上げながら、肝心な最後の仕上げが抜け落ちていることのたとえ。

無用《むよう》の長物《ちょうぶつ》…あっても役に立つどころか、かえってじゃまになるもの。

木《き》を見《み》て森《もり》を見《み》ず…小さいことに心を奪われて、全体を見通さないことのたとえ。

肩《かた》で息《いき》をする…苦しそうに肩を上下させて息をする。「肩をすくめる…やれやれという気持ち」の出題もある。

口《くち》をつぐむ…だまる。

耳《みみ》を傾《かたむ》ける…注意して聞く。

水魚《すいぎょ》の交《まじ》わり…（水と魚がはなれられない関係であるように）非常に親しいつきあい。

生《い》き馬《うま》の目《め》を抜《ぬ》く…他人を出しぬいて、すばやく自分が利益を得る。

馬《うま》が合《あ》う…気が合う。「馬」を使った出題としてはほかに「走馬《そうま》灯《とう》」「馬子《まご》にも衣装《いしょう》」「尻馬《しりうま》に乗る」がある。

木《き》に竹《たけ》をつぐ…前後がつながっていない。調和がとれていない。

解答

①仏　②長　③森　④息　⑤口　⑥耳　⑦魚　⑧馬　⑨馬　⑩竹

慣用句・ことわざ④

ランクC
書き取り
慣用句・ことわざ
四字熟語
同音・同訓異字
読み
チェック問題

1回目 2回目 3回目 カンペキ!

1分間テスト

●□にあてはまる漢字を答えなさい。

□分□秒で暗記完了!

① 井の中の蛙《かわず》 大□を知らず。（　　）
② 返信するようにと□を押した。（　　）
③ 壁に□あり障子に□あり。（　　、　　）
④ 名は□を表す。（　　）
⑤ 父の絵は下手の□好きだ。（　　）
⑥ 枯《か》れ木も□のにぎわい。（　　）
⑦ これは□から出たさびだ。（　　）
⑧ 急な告白に、□の句がつげない。（　　）
⑨ □にどろをぬる。（　　）
⑩ 鬼《おに》の目にも□。（　　）

暗記リスト

ひと言アドバイス

井《い》の中《なか》の蛙《かわず》大海《たいかい》を知《し》らず…世間知らずで考えのせまい人。

念《ねん》を押《お》す…間違いのないよう、もういちど確かめる。

壁《かべ》に耳《みみ》あり障子《しょうじ》に目《め》あり…だれが聞いているかわからない。

名《な》は体《たい》を表《あらわ》す…名前はそのものの中身を表している。

下手《へた》の横好《よこず》き…下手であるにもかかわらず、その物事を好きで続けていること。

枯《か》れ木《き》も山《やま》のにぎわい…つまらないものでも、ないよりはましであることのたとえ。

身《み》から出《で》たさび…自分の行いや過ちが原因で、自分自身が苦しむこと。類義語「自業自得《じごうじとく》」。

二《に》の句《く》が継《つ》げない…相手から言われたことに対して驚きや困惑のあまり何も言えなくなること。

顔《かお》にどろをぬる…恥をかかせる。類義語「顔をつぶす」「顔をよごす」。

鬼《おに》の目《め》にも涙《なみだ》…鬼のような人でも、ときには温かい人間味をあらわすもの。「涙」も書けるようにしておこう。

解答

① 海
② 念
③ 耳、目
④ 体
⑤ 横
⑥ 山
⑦ 身
⑧ 二
⑨ 顔
⑩ 涙

四字熟語①

1回目 2回目 3回目 カンペキ!

● □にあてはまる漢字を答えなさい。

□分□秒で暗記完了!

1分間テスト

① 一□《キ》一□（　、　）
② □□両道（　、　）
③ □鏡□水（　、　）
④ □方美□（　、　）
⑤ □想□外（　、　）
⑥ □進□歩（　、　）
⑦ □戦□闘（　、　）
⑧ □《キ》機一□（　、　）
⑨ □□同体（　、　）
⑩ □念発□（　、　）

暗記リスト

ひと言アドバイス

一喜一憂（いっきいちゆう）…ささいな変化に喜んだり心配したりして、心が休まらない。㊞テストの結果に一喜一憂する。

文武両道（ぶんぶりょうどう）…勉強（学問）と運動（武芸）の両方。㊞文武両道に秀でる人物。

明鏡止水（めいきょうしすい）…心にわだかまりやくもりがない。㊞明鏡止水の心境。

八方美人（はっぽうびじん）…だれからもよく思われるようにふるまう人。㊞私の姉は八方美人と思われている。

奇想天外（きそうてんがい）…普通では思いもよらない変わった様子。㊞奇想天外な発想をする。

日進月歩（にっしんげっぽ）…たえまなく、どんどん進歩をする。㊞テクノロジーは日進月歩で進化・発展していく。

悪戦苦闘（あくせんくとう）…不利な状況で、苦しみながら努力すること。

危機一髪（ききいっぱつ）…髪の毛1本ほどのちがいで助かるかどうか、という危ない状態。

一心同体（いっしんどうたい）…二人以上の人の考えやおこないが、まるで一人の人のように同じになること。

一念発起（いちねんほっき）…あることを成しとげようと決心すること。㊞一念発起して留学を決めた。

解答

① 喜、憂
② 文、武
③ 明、止
④ 八、人
⑤ 奇、天
⑥ 日、月
⑦ 悪、苦
⑧ 危、髪
⑨ 一、心
⑩ 一、起

四字熟語②

● □にあてはまる漢字を答えなさい。

□分□秒で暗記完了!

1分間テスト

① □□無尽《じん》（　、　）
② 首尾《び》□□《カン》（　、　）
③ 再□再□（　、　）
④ 四□□中（　、　）
⑤ □□模索《さく》（　、　）
⑥ □□砕《さい》身（　、　）
⑦ □□両論（　、　）
⑧ □天白□（　、　）
⑨ □□転倒（　、　）
⑩ 古□□西（　、　）

暗記リスト

ひと言アドバイス

縦横無尽（じゅうおうむじん）…自由自在に動き回ること。㊀縦横無尽に駆《か》け回る。

首尾一貫（しゅびいっかん）…始めから終わりまで同じやり方で通す。㊀私は首尾一貫して、その主張を支持してきた。

再三再四（さいさんさいし）…何度も何度も。㊀再三再四、お願いする。

四六時中（しろくじちゅう）…一日じゅう。いつも。㊀彼《かれ》は四六時中、起きている。

暗中模索（あんちゅうもさく）…手がかりがないまま、あれこれとやってみること。㊀はじめは暗中模索の日々だった。

粉骨砕身（ふんこつさいしん）…身を粉《こ》にし、身を砕《くだ》くほどに努力する。㊀粉骨砕身して準備を整える。

賛否両論（さんぴりょうろん）…賛成と反対の両方の意見。㊀その配役には賛否両論がある。

青天白日（せいてんはくじつ）…かくす（疑われる）点がまったくないこと。

本末転倒（ほんまつてんとう）…重要なことと、そうでないことを取り違えること。㊀目的を見失い、本末転倒になっている。

古今東西（ここんとうざい）…どの時代にも、どこの場所でも。

解答

① 縦、横
② 一、貫
③ 三、四
④ 六、時
⑤ 暗、中
⑥ 粉、骨
⑦ 賛、否
⑧ 青、日
⑨ 本、末
⑩ 今、東

1回目　／
2回目　／
3回目　／
カンペキ!

★ランクC★
合否を左右する560問

四字熟語③

●□にあてはまる漢字を答えなさい。

□分□秒で暗記完了!

1分間テスト

① 問□無□（　、　）
② □□混交（　、　）
③ □□両得（　、　）
④ □色兼《けん》□（　、　）
⑤ □□地異（　、　）
⑥ 油断□□（　、　）
⑦ 用意□□《トウ》（　、　）
⑧ □□楚《そ》歌（　、　）
⑨ 理□整□（　、　）
⑩ 一部□《シ》□（　、　）

暗記リスト

ひと言アドバイス

問答無用（もんどうむよう）…話し合っても無意味であること。(例)問答無用で退去を命じた。

玉石混交（ぎょくせきこんこう）…すぐれたものと劣ったものが混じり合って区別がつかない状態。(例)情報が玉石混交だ。

一挙両得（いっきょりょうとく）…ひとつのことをして、二つのよい結果を得ること。類義語「一石二鳥」。(例)一挙両得をもくろむ。

才色兼備（さいしょくけんび）…頭脳も顔かたちも、ともにすぐれている。(例)彼女《かのじょ》は才色兼備のほまれが高い。

天変地異（てんぺんちい）…自然界に起こる異変。台風・地震・洪水など。(例)いかなる天変地異にも対応できる態勢。

油断大敵（ゆだんたいてき）…注意をおこたると大きな危険や失敗を招くこと。(例)油断大敵と日々努力をおこたらない。

用意周到（よういしゅうとう）…心づかいが行き届いていて、準備に手抜かりがない。(例)用意周到な計画。

四面楚歌（しめんそか）…敵に囲まれて孤《こ》立し、助けがないこと。(例)彼《かれ》の言葉は周囲の反感を買ってしまい、今ではすっかり四面楚歌だ。

理路整然（りろせいぜん）…筋道が通っていて、論理的に整理されていること。(例)理路整然とした説明。

一部始終（いちぶしじゅう）…始めから終わりまで。全部。(例)事件の一部始終を伝えた。

解答

①答、用 ②玉、石 ③一、挙 ④才、備 ⑤天、変 ⑥大、敵 ⑦周、到 ⑧四、面 ⑨路、然 ⑩始、終

1回目 ／　2回目 ／　3回目 ／　カンペキ!

四字熟語④

●□にあてはまる漢字を答えなさい。

□分□秒で暗記完了！

1分間テスト

①□□瞭《りょう》然（　、　）
②不□実□（　、　）
③一□専□（　、　）
④□□暮改（　、　）
⑤老若□□（　、　）
⑥□□自答（　、　）
⑦□長□短（　、　）
⑧□□暗鬼《き》（　、　）
⑨急転□□（　、　）
⑩□工□曲（　、　）

暗記リスト

ひと言アドバイス

一目瞭然（いちもくりょうぜん）…ひと目見ただけではっきりわかること。㊀どれが正しいかは一目瞭然だ。

不言実行（ふげんじっこう）…口であれこれ言わずに、するべきことをしっかりおこなうこと。㊀あの選手は不言実行の人だ。

一意専心（いちいせんしん）…他のことに心を奪われず、ひとつのことに集中して取り組むこと。㊀目標達成のため、一意専心努力を続ける。

朝令暮改（ちょうれいぼかい）…朝に出した命令や方針が、夕方にはもう変更されてしまうこと。㊀朝令暮改で皆が混乱する。

老若男女（ろうにゃくなんにょ）…あらゆる年齢層と性別の人々。㊀老若男女に人気があるスポーツ。

自問自答（じもんじとう）…自分で自分に問いかけ、それに答えること。㊀自問自答して答えを出す。

一長一短（いっちょういったん）…よい点と悪い点の両方があること。㊀この方法には一長一短がある。

疑心暗鬼（ぎしんあんき）…疑いの心が生じることで、実際にはないことまで悪く考えてしまうこと。㊀疑心暗鬼で何も信じられない。

急転直下（きゅうてんちょっか）…状況や情勢が、急に大きく変化すること。㊀計画が急転直下で変更された。

同工異曲（どうこういきょく）…少し見るとつくり方が違うようだが、実はだいたい同じようなこと。㊀同工異曲の作品。

解答

①一、目　②言、行　③意、心　④朝、令　⑤男、女　⑥自、問　⑦一、一　⑧疑、心　⑨直、下　⑩同、異

1回目／　2回目／　3回目／　カンペキ！

同音・同訓異字①

1回目 ／　2回目 ／　3回目 ／　カンペキ！

● ——のカタカナを漢字に直しなさい。　□分□秒で暗記完了！

1分間テスト

暗記リスト

① 年末はキセイ客で道路が混む。（　　）
② キセイ緩和《かんわ》に対応する。（　　）
③ 投票によるサイケツをおこなう。（　　）
④ 裁判官がサイケツを下す。（　　）
⑤ しばらくタってみると。（　　）
⑥ 立派な家がタつ。（　　）
⑦ 細長く布をタつ。（　　）
⑧ 消息をタつ。（　　）
⑨ カイシンの勝利を挙げた。（　　）
⑩ 悪人がカイシンする。（　　）

ひと言アドバイス

帰省…ふるさとに帰ること。

規制…きまりをつくって制限すること。　㊔交通規制

採決…議案の可否を出席者の賛否の数によって決めること。多数決で決めること。　㊔挙手により採決する

裁決…権限をもつ人が判断を下すこと。　㊔理事会の裁決に従う

経つ…時間が過ぎる。　㊔時の経つのは早い

建つ…建物がつくられる。

裁つ…布や紙などを切ること。

絶つ…続いているものを終わらせる。　㊔望みを絶つ　犯罪の根を絶つ　途絶える

会心…思い通りになって満足すること。　㊔この作文は会心の出来だ

改心…悪かったと思い、心を改めること。

解答

① 帰省　② 規制　③ 採決　④ 裁決　⑤ 経　⑥ 建　⑦ 裁　⑧ 絶　⑨ 会心　⑩ 改心

同音・同訓異字②

1回目 ／　2回目 ／　3回目 ／　カンペキ！

● ――のカタカナを漢字に直しなさい。

□分□秒で暗記完了！

1分間テスト ◀　暗記リスト ◀

① 交通事故でケイショウを負う。（　　）
② 全国のケイショウ地をめぐる旅。（　　）
③ 父の事業をケイショウする。（　　）
④ 前かがみのタイセイで走る。（　　）
⑤ 選手が独走タイセイに入った。（　　）
⑥ 反対意見がタイセイをしめる。（　　）
⑦ おヒガンに墓参りをする。（　　）
⑧ ヒガンの初優勝を果たした。（　　）
⑨ かぜ薬がすぐにキく。（　　）
⑩ 気のキいたことを言う。（　　）

ひと言アドバイス ◀

軽傷…軽いけがや傷。

景勝…景色がよいこと。また、その土地。

継承…身分や財産、仕事などを受け継ぐこと。

体勢…からだ全体の構え、姿勢。
㊟土俵際《ぎわ》の体勢

態勢…あることに臨む身構えや態度。
㊟受け入れ態勢を整える　警戒《かい》態勢に入る

大勢…物事や世の中の、だいたいの成り行き。
㊟試合の大勢は決まった

彼岸…春分・秋分の日とその前後3日を合わせた7日間のこと。

悲願…ぜひやりとげたいと考えている願望。

効く…効果がある。
㊟薬の効き目

利く…能力や働きが十分に発揮される。
㊟顔が利く　鼻が利く　目が利く　利き腕《うで》

解答

① 軽傷
② 景勝
③ 継承
④ 体勢
⑤ 態勢
⑥ 大勢
⑦ 彼岸
⑧ 悲願
⑨ 効
⑩ 利

同音・同訓異字③

1回目　2回目　3回目　カンペキ!

● ——のカタカナを漢字に直しなさい。

□分□秒で暗記完了!

1分間テスト	暗記リスト	ひと言アドバイス	解答
① 現場ケンショウをおこなう。	（　　）	検証…実際に調べて事実を明らかにすること。	①検証
② 自治ケンショウを制定する。	（　　）	憲章…国家や組織の基本的な原則や守るべきルールを定めた文書のこと。	②憲章
③ およそのケントウをつける。	（　　）	見当…だいたいの見込み。	③見当
④ 内容をケントウする。	（　　）	検討…いろいろな面から調べて、よいか悪いかを考える。 ㊀検討を重ねる　問題点を検討する	④検討
⑤ 数学のコウギを受ける。	（　　）	講義…学問的内容を説明して聞かせること。学問内容の「義(意味、わけ)」を「講(説明する)」ということ。	⑤講義
⑥ コウギの電話が鳴りやまない。	（　　）	抗議…相手が間違っていると強く主張すること。「抗(対抗して)」「議(話し合う、議論する)」ということ。	⑥抗議
⑦ 切手をシュウシュウする。	（　　）	収集…集めること。 ㊀ごみ収集車	⑦収集
⑧ シュウシュウがつかない。	（　　）	収拾…混乱した状態をおさめ、まとめること。 ㊀事態を収拾する	⑧収拾
⑨ 技術をシュウトクする。	（　　）	習得…技術などを身につけること。	⑨習得
⑩ シュウトク物を預かる。	（　　）	拾得…落とし物を拾うこと。	⑩拾得

同音・同訓異字④

1回目 ／
2回目 ／
3回目 ／
カンペキ!

● ――のカタカナを漢字に直しなさい。

□分□秒で暗記完了!

◀1分間テスト

① 自己ショウカイをする。（　）
② 預金残高をショウカイする。（　）
③ トルコ料理をショウミする。（　）
④ ショウミ2時間しか遊べない。（　）
⑤ 墓前に花をソナえる。（　）
⑥ 台風にソナえる。（　）
⑦ 夕日に山々がハえる。（　）
⑧ 歯がハえる。（　）
⑨ 手をカしてください。（　）
⑩ 本をカりる。（　）

◀暗記リスト

◀ひと言アドバイス

紹介…知らない人やものを人にひき合わせること。 例新技術を発表会で紹介する　新番組の紹介

照会…問い合わせて確かめること。 例在庫の照会　1万人分の指紋を照会する

賞味…よく味わって食べること。 例賞味期限が切れる

正味…付属しているものを除いた実質。 例正味300グラム

供える…神仏にささげること。

備える…事前に準備をしておくこと。 例緊急時に備える 「能力が生まれつき備わっている」としての出題もある。

映える…目立ってあざやかに見える。

生える…歯や毛、草や木が新しく出てくる。 例ひげが生える　雑草が生える　やさしい気持ちが芽生える

例貸し出し　貸し借り

「借りる、借りれば、借りずに」のように、「借りる」には必ず「り」がつく。

解答

① 紹介
② 照会
③ 賞味
④ 正味
⑤ 供
⑥ 備
⑦ 映
⑧ 生
⑨ 貸
⑩ 借

読み①

1 次の漢字の読みを答えなさい。

① 縦断（　）
② 至る（　）
③ 原因（　）
④ 汽笛（　）
⑤ 遺言（　）
⑥ 弾む（　）
⑦ 大枚（　）
⑧ 折半（　）
⑨ 収拾（　）
⑩ 社（　）
⑪ 建立（　）
⑫ 郷里（　）
⑬ 無造作（　）
⑭ 強情（　）
⑮ 頭角（　）
⑯ 守衛（　）
⑰ 作法（　）
⑱ 耕す（　）
⑲ 名残（　）
⑳ 導く（　）

解答 **1**
①じゅうだん ②いた ③げんいん ④きてき ⑤ゆいごん ⑥はず ⑦たいまい ⑧せっぱん ⑨しゅうしゅう ⑩やしろ（しゃ） ⑪こんりゅう ⑫きょうり ⑬むぞうさ ⑭ごうじょう ⑮とうかく ⑯しゅえい ⑰さほう ⑱たがや ⑲なごり ⑳みちび

2 次の漢字の読みを答えなさい。

① 素手（　）
② 招く（　）
③ 空きっ腹（　、　）
④ 和やか（　）
⑤ 風物詩（　）
⑥ 納屋（　）
⑦ 丁重（　）
⑧ 人家（　）
⑨ 割安（　）
⑩ 街角（　）
⑪ 会釈（　）
⑫ 発芽（　）
⑬ 臨む（　）
⑭ 勇ましい（　）
⑮ 筆舌（　）
⑯ 八百屋（　）
⑰ 最寄り（　）
⑱ 呼応（　）
⑲ 画一的（　）
⑳ 穀物（　）

解答 **2**
①すで ②まね ③す、ぱら ④なご ⑤ふうぶつし ⑥なや ⑦ていちょう ⑧じんか ⑨わりやす ⑩まちかど ⑪えしゃく ⑫はつが ⑬のぞ ⑭いさ ⑮ひつぜつ ⑯やおや ⑰もよ ⑱こおう ⑲かくいつてき ⑳こくもつ

1回目　／
2回目　／
3回目　／
カンペキ!

読み②

1 次の漢字の読みを答えなさい。

① 所望（　）
② 潔白（　）
③ 訪ねる（　）
④ 貸与（　）
⑤ 有益（　）
⑥ 綿密（　）
⑦ 本音（　）
⑧ 知己（　）
⑨ 損なう（　）
⑩ 裁つ（　）
⑪ 告げる（　）
⑫ 机上（　）
⑬ 門戸（　）
⑭ 誤る（　）
⑮ 割く（　）
⑯ 悪寒（　）
⑰ 和らぐ（　）
⑱ 模写（　）
⑲ 面影（　）
⑳ 粉雪（　）

解答 **1**
①しょもう ②けっぱく ③たず ④たいよ ⑤ゆうえき ⑥めんみつ ⑦ほんね ⑧ちき ⑨そこ ⑩た ⑪つ ⑫きじょう ⑬もんこ ⑭あやま ⑮さ ⑯おかん ⑰やわ ⑱もしゃ ⑲おもかげ ⑳こなゆき

2 次の漢字の読みを答えなさい。

① 性分（　）
② 高飛車（　）
③ 行方（　）
④ 区画（　）
⑤ 遺失（　）
⑥ 風穴（　）
⑦ 点呼（　）
⑧ 太古（　）
⑨ 息吹（　）
⑩ 絶版（　）
⑪ 世間（　）
⑫ 身内（　）
⑬ 障る（　）
⑭ 署名（　）
⑮ 初版（　）
⑯ 参画（　）
⑰ 際立つ（　）
⑱ 座右（　）
⑲ 権化（　）
⑳ 警笛（　）

解答 **2**
①しょうぶん ②たかびしゃ ③ゆくえ ④くかく ⑤いしつ ⑥かざあな（ふうけつ） ⑦てんこ ⑧たいこ ⑨いぶき ⑩ぜっぱん ⑪せけん ⑫みうち ⑬さわ ⑭しょめい ⑮しょはん ⑯さんかく ⑰きわだ ⑱ざゆう ⑲ごんげ ⑳けいてき

1回目 ／ 2回目 ／ 3回目 ／ カンペキ!

できたらカンペキ!!
難易度★★★

ランクC 完成度チェック問題

1回目　／
2回目　／
3回目　／
カンペキ!

合格点70点（一つ2点）
100点満点　点

1 次の漢字を書きなさい。

① □□《よだん》を許さない状況。

② 絹は□《かいこ》の糸から作られる。

③ 紙面を□《さ》いて特集を組む。

④ 一瞬、自分の耳を□《うたが》った。

⑤ 背泳ぎを□□《しゅうとく》する。

⑥ 鬼《おに》を□□《たいじ》する。

⑦ □《おごそ》かな雰《ふん》囲気。

⑧ 金銭□□《すいとう》帳。

⑨ □□《ひき》こもごもの人生を語る。

⑩ 主人に□□《じゅうじゅん》な犬。

⑪ 森に□□《せいそく》している動物。

⑫ おふろがこわれ□□《せんとう》に行く。

⑬ 文豪《ごう》の□□《じきひつ》のサイン。

⑭ 化学□□《ひりょう》を使わない作物。

⑮ □□《きゅうとう》器がこわれる。

⑯ □□《ひょうじゅん》的な問題だ。

⑰ □□《ふかく》にも涙した。

⑱ □□《ぼけつ》を掘《ほ》る結果となった。

⑲ □□《あっとう》的な勝利をおさめる。

⑳ 父の□□《ぞうしょ》を整理する。

㉑ 虫□□《めがね》で見る。

㉒ □□《きりょう》のよいむすめ。

㉓ お金を□□《くめん》する。

2 □にあてはまる漢字を答えなさい。

① □をすえて決断を下した。
② 柳《やなぎ》に□と受け流す。
③ 大臣のあの発言は□み足だ。
④ 水□の交わり。
⑤ 紺屋《こうや》の□袴《ばかま》。
⑥ 目から□へ抜けるような人。
⑦ □作って魂《たましい》入れず。
⑧ 木に□をついだような言い訳。
⑨ 名は□を表す。

3 四字熟語を完成させなさい。

① □天白□
② □□両道
③ □□無尽《じん》
④ □念発□
⑤ □想□外
⑥ □□模索《さく》
⑦ □□両論
⑧ 不□実□
⑨ 一□専□

4 次の漢字を書きなさい。

① 交通事故で□□《けいしょう》を負う。
② 全国の□□《けいしょう》地をめぐる旅。
③ 父の事業を□□《けいしょう》する。
④ かぜ薬がすぐに□《き》く。
⑤ 気の□《き》いたことを言う。
⑥ 切手を□□《しゅうしゅう》する。
⑦ □□《しゅうしゅう》がつかない。
⑧ トルコ料理を□□《しょうみ》する。
⑨ □□《しょうみ》2時間しか遊べない。

●解答は158ページ

完成度チェック問題　解答

ランクA　完成度チェック問題 ● 55・56ページ

解答

1
①専門　②検討　③看板　④営
⑤耕　⑥典型　⑦穀物　⑧参拝
⑨委　⑩復興　⑪簡素　⑫退
⑬額　⑭系統　⑮朗報　⑯臨
⑰群　⑱洗練　⑲延　⑳構
㉑関心　㉒供　㉓収拾

2
①舌　②地　③白羽　④歯　⑤貸
⑥粉　⑦念仏　⑧目　⑨面

3
①取、捨　②心、機　③器、成
④千、万　⑤明、正　⑥故、新
⑦死、生　⑧我、引　⑨臨、機

4
①解放　②開放　③快方　④誤
⑤謝　⑥保障　⑦保証　⑧余地
⑨予知

ランクB　完成度チェック問題 ● 103・104ページ

解答

1
①干　②観衆　③検査　④察知
⑤横暴　⑥除去　⑦降参　⑧形相
⑨潮流　⑩意向　⑪価値観　⑫旗印
⑬拝借　⑭細工　⑮事態　⑯重複
⑰博識　⑱傷　⑲結束　⑳土俵
㉑勤務　㉒善後策　㉓補給

2
①歯　②他山　③背　④枚挙　⑤背
⑥骨　⑦知恵　⑧七十五　⑨水

3
①鳥、風　②自、業　③適、適
④品、方　⑤息、災　⑥承、結
⑦厚、顔　⑧千、遇　⑨暮、四

4
①確信　②核心　③革新　④決行
⑤結構　⑥映　⑦写　⑧意義
⑨異議

ランクC　完成度チェック問題 ● 156・157ページ

解答

1
①予断　②蚕　③割　④疑
⑤習得　⑥退治　⑦厳　⑧出納
⑨悲喜　⑩従順　⑪生息　⑫銭湯
⑬直筆　⑭肥料　⑮給湯　⑯標準
⑰不覚　⑱墓穴　⑲圧倒　⑳蔵書
㉑眼鏡　㉒器量　㉓工面

2
①腹　②風　③勇　④魚　⑤白
⑥鼻　⑦仏　⑧竹　⑨体

3
①青、日　②文、武　③縦、横
④一、起　⑤奇、天　⑥暗、中
⑦賛、否　⑧言、行　⑨意、心

4
①軽傷　②景勝　③継承　④効
⑤利　⑥収集　⑦収拾　⑧賞味
⑨正味

A～Cランク以外で有名難関校に出題された漢字一覧

●ここでは、近年の有名難関中学校の「書き取り」問題で出題された漢字を紹介する。本書で取り上げた問題は含まれていないので、本書をしっかりと仕上げた後に、余裕があればこちらもチェックしよう。意味や読み方がわからない言葉があれば、調べながら確認していこう。

裏切る　神聖　望郷　階級　心底　逆　期す　節操　精査　考証　有志　余る　消息　講評　講話　公定　厳寒　高揚
功名（こうみょう）　口承（こうしょう）　航空　校庭　皇居　源流　行使　厳命　広域　厳禁　講じる　至る　事典　飼料　至福　私情
至高　磁針　機器　私腹　原風景　私見　施す　至上　写実　受容　首班　首長　手芸　次第　射幸心　辞する　自明　耳目
主観　再興　菜園　作法　再三　混迷　骨子　細かい　算段　穀類　子女　子細　残像　賛同　参観　雑草　殺気　札（ふだ）
画策　階層　開花　回帰　芽生える　荷物　花弁　歌劇　果断　果て　気性（きしょう）　外観　楽観　外来　閣議　閣下　確率
格式　拡声　楽聖（がくせい）　遺族　家畜　一律　一目散　一派　一定　一層　印税　一丸　遺志　異質　暗雲　一身上　横行
応接　往々　延々　円盤　英知　永世（えいせい）　雨後　空ける　具現　苦笑　金管　禁じる　均質　曲折　禁断　見届ける　絹
権勢　血統　敬具　欠如　経由　経つ　系図　協定　建前　観点　境地　危害　危ない　願う　希少　関係　観劇　緩む
管見（かんけん）　慣行　感知　眼下　協議　競合　希求　給付　境界　逆光　疑義　起用　記帳　去来　不快　順次　負荷　周遊
付加　不格好　副次的　品種　鼻歌　不断　平生（へいぜい）　頭痛　保守　弁護　弁　編成　部首　平静　服薬　復活　比較
難関　脳　燃費　年配　任意　肉眼　読破　毒　特異　道楽　動員　版図　搬送　反論　判明　判　発破　背反（はいはん）　半旗
欲望　率直　利発　幼児　落札　旅費　要所　用心棒　洋洋　歴史　和解　老練　老化　連立　連綿　歴々　略歴　流派　輪唱
臨終　領分　名残（なごり）　無下（むげ）　満面　牧歌　防犯　盟友　望む　豊漁　法則　防備　友好　遊興（ゆうきょう）　命脈
由々しい　野次馬　目標　網元（あみもと）　毛頭　誘惑　食傷（しょくしょう）　親善　神業（かみわざ）　照覧　信条　職種　前衛　浸透
折半　宣戦　千々（ちぢ）に　成功　節穴　正統　折る　接点　赤貧（せきひん）　盛る　生意気　絶頂　衆人（しゅうじん）　祝祭　宿願
従属　集荷（しゅうか）　術策（じゅっさく）　終生　集大成　消費　招集　商談　熟知　出色（しゅっしょく）　順番　傷つける　提出　定時
注視　忠臣　宙返り　中興（ちゅうこう）　着実　眺望　統計　統一　等級　湯治（とうじ）　土用　敵視　土産（みやげ）　伝票　点在
転居　転じる　店頭　窓口　体得　体現　存亡　存分　脳卒中　息苦しい　早晩　創設　素養　地味　素直　単行　談話　断片
待望　地盤　奪う　大枚（たいまい）　大半　台無し　退出

出《で》る順《じゅん》「中学受験《ちゅうがくじゅけん》」漢字《かんじ》1580が7時間《じかん》で覚《おぼ》えられる問題集《もんだいしゅう》[3訂版《ていばん》]

[さかもと式] 見るだけ暗記法

2024年10月31日　初版発行

著　者……坂本七郎《さかもとしちろう》
発行者……塚田太郎
発行所……株式会社大和出版

東京都文京区音羽1-26-11　〒112-0013
電話　営業部03-5978-8121／編集部03-5978-8131
https://daiwashuppan.com

印刷所……信毎書籍印刷株式会社
製本所……株式会社積信堂
ブックデザイン……村﨑和寿

ISBN978-4-8047-6443-6